Béroul

Tristan
et Yseut

Présentation et traduction
de Daniel Poirion
Préface de Christiane Marchello-Nizia

Professeur à l'École Normale Supérieure
Fontenay/Saint-Cloud
Membre de l'Institut universitaire de France

Gallimard

PRÉFACE

« UNE BELLE HISTOIRE D'AMOUR ET DE MORT[1] »

Cette superbe et violente légende d'amour et de mort n'a cessé depuis neuf siècles de hanter la littérature, et peut-être notre inconscient : Denis de Rougemont voyait dans cette légende la forme originelle, « l'étymologie de nos passions[2] ». Séduction d'un récit qui parle d'amour et de mort, et qui surtout allie les deux, faisant de la mort des amants l'assomption de leur passion ? Schème fondateur de l'amour romanesque et de son avatar l'adultère bourgeois ? Ou encore subversion des valeurs de la société féodale aussi bien que de celles de la courtoisie ? On a expliqué de bien des façons la fascination qu'a exercée ce récit ; et comme Gottfried de Strasbourg au XIIIe siècle, au début de son Tristan et Isolde, *nous pourrions dire :*

1. Joseph Bédier, *Le Roman de Tristan et Yseut*, Piazza, 1900.
2. Préface à *Tristan. La merveilleuse histoire de Tristan et Iseut restituée par André Mary*, Gallimard, « Folio classique », 1973, p. 9.

« *Ils ont beau être morts depuis longtemps, leur nom charmant continue de vivre, et leur mort vivra longtemps encore, à jamais, pour le bien de ce monde ; leur mort ne cessera d'être pour nous vivante et neuve... Nous lirons leur vie, nous lirons leur mort, et ce nous sera plus doux que le pain.* »

UNE LÉGENDE À SUCCÈS..

Les versions les plus anciennes qui nous sont parvenues de la légende de Tristan et Yseut ont été écrites dans les années 1170-1180 : il s'agit de deux romans français, celui de Béroul présenté ici, et celui de Thomas, et d'un roman allemand, celui d'Eilhart d'Oberg. D'un point de vue purement chronologique, le texte le plus ancien est sans doute celui de Thomas, écrit en Angleterre, probablement entre 1170 et 1173, dans l'entourage du roi Henri II Plantagenêt et de la reine Aliénor d'Aquitaine son épouse. Le roman de Béroul a été composé un peu plus tard, en 1181 : il s'agit là cependant d'une version plus ancienne de la légende. À ces textes, qui à l'origine au moins donnaient l'ensemble de l'histoire, il faut ajouter trois courtes « nouvelles » écrites en français ancien dans le dernier tiers du XIIᵉ siècle, à la même époque que les poèmes de Béroul et de Thomas : Le Lai du Chèvrefeuille *de Marie de France[1], et deux textes anonymes, la* Folie

---

1. Marie de France, *Lais*, Gallimard, « Folio classique », 2000, p. 319-325.

d'Oxford et la Folie de Berne[1]. *Ces trois brefs récits rapportent un épisode fréquent, celui d'un retour de Tristan auprès d'Yseut dont il ne supporte plus d'être séparé.*

Des anciens textes français de la légende, ces cinq témoins sont tout ce qui nous est parvenu. D'autres versions ont disparu sans laisser de trace. Au moins deux : le roman Del roi Marc et d'Ysalt la Blonde *que Chrétien de Troyes affirme avoir composé, et le poème d'un certain* La Chèvre *qu'évoquent la branche II du* Roman de Renart *et un conte dévot du début du* XIIIe *siècle.*

Cette légende a connu pourtant un très rapide succès. Le roman de Thomas a donné lieu à des adaptations en plusieurs pays d'Europe : au Tristan et Isolde *allemand de Gottfried de Strasbourg (composé vers 1200-1210), à la* Saga de Tristram et d'Ísönd *en vieux norrois, écrite par frère Robert (1226), et au* Sire Tristrem *anglais, dont l'auteur est inconnu (entre 1294 et 1330).*

Les adaptations elles-mêmes jouirent d'un grand succès. Du Tristan et Isolde *de Gottfried nous sont restés de nombreux manuscrits provenant de régions diverses. La* Saga *de frère Robert fut refondue un siècle plus tard, au* XIVe *siècle, dans une* Tristrams saga ok Isoddar, *et nombreuses sont les allusions, plus ou moins précises ou importantes, à cette légende dans les textes islandais et plus largement dans la littérature du domaine scandinave.*

---

1. Dénommés ainsi à cause du lieu où est conservé leur manuscrit.

Quant aux allusions à Tristan et Yseut dans les littératures en langue d'oc et d'oïl, elles sont innombrables. Les évocations les plus anciennes des amours de Tristan et Yseut se rencontrent chez les premiers troubadours : Cercamon (1135-1145), Bernard de Ventadour (1154), Raimbaut d'Orange (1163), Guiraut de Cabrera (1169-1170), et Arnaut Guilhem (1160-1170). Dans la littérature en ancien français, les références à Tristan et Yseut deviennent un thème commun et sont constantes dès la fin du XII siècle. Et quelle meilleure preuve du succès d'une œuvre que l'existence d'une autre œuvre écrite contre elle ? Il y eut en effet au moins un « anti-Tristan », le* Cligès *de Chrétien de Troyes l'est explicitement.*

Plus que toute autre légende, le récit des amours tristaniennes est devenu également un lieu commun iconographique, et ce sont très souvent les mêmes scènes qui sont représentées : celle du philtre, ou bien le roi perché dans l'arbre et épiant le rendez-vous des amants, ou encore la scène de la découverte des amants dans la forêt par le roi, ou celle du serment d'Yseut. Le plus ancien témoignage iconographique est sans doute un coffret d'ivoire du XII siècle conservé à Vannes, où est représenté un guerrier qu'on identifie à Tristan.*

À travers ces représentations offertes aux yeux du public, à travers des récits oraux colportés, l'histoire des deux amants avait laissé ses traces dans les mémoires. Au Moyen Âge déjà, on pouvait percevoir le succès d'une légende à travers l'onomastique — c'est-à-dire la science des noms : en France du sud, on

a conservé quelques couplets composés par une trobai-
ritz *(une femme « troubadour », une poétesse) nommée Iseut de Capion qui vécut entre 1187 et 1250.
Plus tôt encore, en France du nord cette fois, un couple
habitant le comté de Blois avait donné à deux de ses
huit enfants les noms de Tristannus et d'Isaut, comme
il apparaît dans une charte, et ceci dans les années
1167-1168, ce qui prouve qu'à cette date la légende
des deux amants était assez répandue pour qu'on
puisse baptiser des enfants de leur nom. Et au XIII⁰ siècle, le surnom de Tristan sera donné à un fils du roi
saint Louis, Jehan, né en Terre Sainte pendant la
croisade, « pour la grant douleur la ou il fu né » (Join-
ville).*

*Les formes de cette mémoire montrent à l'évidence
une chose : au Moyen Âge, c'est l'histoire des deux
amants, de leur amour et de leur mort, qui hante les
mémoires. La plupart des représentations iconogra-
phiques rappellent les mêmes épisodes : les amants
sont vus, les amants sont pris, les amants se retrouvent
malgré tout. Et pourtant, comme tant de récits médié-
vaux, c'est bien un récit en deux parties qu'offraient
Béroul et Thomas dans leur version complète : l'histoire de Tristan d'une part, de son enfance et de ses
premiers exploits ; l'histoire du couple d'autre part,
des amours de Tristan et Yseut à la cour du roi Marc
d'abord, et de l'exil de Tristan ensuite. Mais c'est seulement cette seconde partie, celle qui concerne le couple
des amants, qui a fait de ce récit un mythe.*

... MAIS DES MANUSCRITS
EN PITEUX ÉTAT !

Et pourtant, ces textes nous sont parvenus dans un piteux état. De ces anciennes versions en français qui exercèrent lors de leur redécouverte au siècle dernier une telle fascination, il nous reste des manuscrits tronqués, fragmentés, incomplets. Le roman de Béroul nous est parvenu grâce à un unique manuscrit en mauvais état et amputé de son début et de sa fin ; et celui de Thomas, sous la forme de six fragments dont certains sont fort brefs. Pour chacun de ces textes, il nous a été conservé trois ou quatre milliers de vers, sur dix ou douze mille que comptait sans doute chaque roman à l'origine.

Du point de vue narratif, les parties conservées des deux romans écrits en ancien français ne se recoupent pas : le premier fragment conservé du texte de Thomas donne un épisode qui dans l'histoire se situe avant le premier épisode conservé par le roman de Béroul ; les cinq autres fragments de Thomas donnent tous des épisodes postérieurs à l'endroit où s'interrompt le manuscrit du roman de Béroul. Il aurait été cependant impossible de reconstituer à partir de ce qui subsiste de ces deux textes la légende dans son entier. Heureusement, l'existence de versions dans d'autres langues nous permet de connaître les épisodes que les textes français, mutilés, ne nous donnent pas

Des deux versions composées en moyen-haut-allemand, une seule est complète, celle d'Eilhart d'Oberg, qui suivait une tradition proche de celle de Béroul. Celle de Gottfried de Strasbourg, qui est une adaptation amplifiée du récit de Thomas, est inachevée malgré ses 19 548 vers. La Saga en vieux norrois, adaptation elle aussi du roman de Thomas, offre un récit complet. Mais ce n'est pas le cas de Sire Tristrem, *qui transpose en moyen-anglais le roman de Thomas : il n'en manque cependant que la fin. Au total, la forme ancienne de la légende nous est parvenue à travers six textes de grande ampleur, mais dont deux seulement offrent un récit absolument complet. Les* Folies, *ou* Le Lai du Chèvrefeuille *ne rapportent que des épisodes ponctuels de l'histoire des amants ; mais dans ces brefs récits, Tristan est amené à rappeler bon nombre d'épisodes essentiels de sa relation avec Yseut. Malgré tous ces manques, nous sommes donc en mesure de connaître l'ensemble de la légende.*

ANALYSE DE L'HISTOIRE DE TRISTAN
ET YSEUT ET DU ROMAN DE BÉROUL

La première partie place tout naturellement les romans tristaniens dans la littérature héroïque de l'époque. On y trouve la plupart des thèmes folkloriques ou mythiques propres aux héros : naissance douloureuse ou illégitime, reconnaissance, premiers exploits, conquête d'une femme ; et c'est à ce point exactement que l'épopée laisse place au roman, car la femme conquise est destinée non au héros, mais à son oncle…

De cette première partie, rien ne nous reste dans les textes français. Ce que nous en connaissons vient d'Eilhart d'une part, et des adaptations de Thomas que sont la Saga, le poème de Gottfried, Sire Tristrem d'autre part : on peut supposer que les épisodes que l'on trouve dans ces quatre textes existaient également chez Béroul. Nous résumons à présent les principaux épisodes de la légende, dans laquelle s'insère le récit composé par Béroul en vers de huit syllabes rimant deux à deux.

a) les parents de Tristan,
   sa naissance douloureuse

Le début des romans concerne les parents de Tristan. Le père de Tristan, Rivalin, est en guerre contre son suzerain, le duc Morgan. Il va chercher alliance auprès du roi Marc ; chez Béroul et Eilhart, et dans d'autres textes épisodiques qui évoquent son rang, Marc est seulement roi de Cornouailles ; mais chez Thomas il est roi d'Angleterre.

L'amour naît entre Rivalin et Blanchefleur, la sœur du roi Marc ; les quatre textes, avec de légères différences, narrent leur destin tragique et la naissance de Tristan. Dans toutes les versions, Tristan est conçu hors mariage, de façon illégitime donc. Rivalin doit regagner son royaume, Blanchefleur le suit, ils quittent la Cornouailles. La jeune femme accouche, soit en mer, soit plus tard, après avoir appris la mort de Rivalin *(sauf chez Eilhart), et elle meurt tout aussitôt. C'est à ces tragiques circonstances que Tristan doit son nom, « triste année ».*

b) la jeunesse de Tristan
   auprès de son oncle le roi Marc

Suivent les épisodes de la jeunesse de Tristan : son éducation par le fidèle sénéchal auquel il a été confié, Rual, son enlèvement par des marchands norvégiens. Relâché, Tristan accoste près de Tintagel, résidence du roi Marc.

Dès lors, le père mort va être remplacé par l'oncle maternel : Tristan conquiert l'estime et l'affection du roi Marc ; leur lien de parenté va être révélé, et Marc adoube son neveu, à qui il songe comme héritier. Tristan retourne en Ermenie (ou Parménie, ou Léonois), son pays, venger son père et reconquérir son royaume : c'est là son premier exploit de héros guerrier ; mais il renonce à l'héritage paternel — premier renoncement.

c) Tristan vainc le Morholt ;
   blessé, il est guéri par la reine d'Irlande

De retour auprès de Marc, Tristan se bat contre le Morholt, frère de la reine d'Irlande, qui vient prélever un tribut de jeunes gens dans le royaume de Marc. Tristan le vainc — deuxième exploit, mais un fragment de son épée reste dans la tête du Morholt ; Tristan reçoit une blessure empoisonnée, et son adversaire lui révèle que seule sa sœur, la reine d'Irlande, peut guérir ce poison. Tristan se rend donc en Irlande, sans se

*faire reconnaître ; il y est soigné par la reine, nommée
Yseut, et par sa fille, qui porte le même nom (sauf
dans la Saga où la mère se nomme Ísodd, et la fille
Ísönd).*

*Guéri, Tristan retourne auprès du roi Marc ; jaloux
de l'affection que celui-ci lui porte, des seigneurs exi-
gent de Marc qu'il se marie ; Tristan est chargé d'aller
conquérir comme épouse pour le roi la jeune Yseut.
C'est à cet endroit qu'*Eilhart *et* Sire Tristrem *situent
l'épisode du cheveu d'or apporté par une hirondelle.*

d) Tristan conquiert Yseut pour le roi Marc

*Déguisé en marchand et toujours sous un faux
nom, Tantris, Tristan accoste à nouveau en Irlande ; il
est vainqueur d'un dragon qui ravage le pays. C'est là
son troisième exploit guerrier, et il gagne ainsi la main
d'Yseut pour le roi Marc. Mais il est empoisonné par
la langue du dragon qu'il a prise comme preuve de son
exploit ; la reine et sa fille le guérissent une nouvelle
fois. La princesse Yseut le reconnaît comme le meurtrier de son oncle le Morholt à cause de son épée ébré-
chée, mais elle renonce à la vengeance car Tristan, en
gagnant sa main, lui permet d'éviter un mariage avec
un prétendant local. Ainsi, après avoir récupéré son
héritage paternel et y avoir renoncé, après avoir sauvé
le royaume de son oncle, voici que Tristan lui gagne
une épouse qu'il aurait pu garder pour lui — second
renoncement.*

e) Tristan et Yseut boivent
   par erreur le philtre magique

Avec l'épisode du philtre, on entre dans la seconde partie de la légende tristanienne. Cet épisode, donné par les cinq récits principaux (Eilhart, Thomas, la Saga, Gottfried, Sire Tristrem) et rappelé par les deux Folies, se situe lors du voyage en mer entre l'Irlande et la Cornouailles, alors que Tristan amène Yseut au roi Marc pour qu'il l'épouse. C'est le milieu de la journée, la chaleur est accablante, Tristan a soif et demande qu'on apporte une boisson pour Yseut et lui. Une méprise conduit soit une servante, soit Brengain la suivante d'Yseut, à apporter un flacon contenant le philtre d'amour (le Lovedrink évoqué p. 103-104), préparé par la reine d'Irlande pour sa fille : ce « vin herbé » était destiné à unir Marc et Yseut d'un amour indéfectible. Saisis l'un pour l'autre d'un désir irrésistible, les jeunes gens s'avouent leur amour en un dialogue en forme d'énigme (« lamer me fait souffrir », dit Yseut), et ils s'unissent tout aussitôt.

f) mariage d'Yseut avec Marc ;
   les amants épiés, condamnés, fugitifs

Le mariage de Marc et d'Yseut a lieu. Tristan et Yseut convainquent Brengain de remplacer la reine, qui n'est plus vierge, dans le lit de Marc, pour la première partie de la nuit de noces.

Pendant quelque temps, les amants, constamment surveillés, doivent inventer bien des ruses pour se rencontrer : le signal des feuilles ou des copeaux (dans les Folies*) portés par l'eau d'un ruisseau par exemple. Des seigneurs jaloux, le nain astrologue Frocin, et même Mariadoc, ami de Tristan mais fidèle au roi, dénoncent les amants et poussent Marc à diverses ruses pour les découvrir. Perché dans un arbre, le roi assiste ainsi à un dialogue à lui seul destiné, car les amants ont aperçu son reflet dans l'eau* (ici commence ce qui nous reste du roman de Béroul) *. Puis le nain répand de la farine entre les lits de la reine et du héros : bien qu'éventée par Tristan, la ruse réussit à moitié. De semi-convictions en évident flagrant délit, Marc finit par faire condamner les amants.*

Dans la version de la légende transmise par Béroul, Tristan est condamné au bûcher, et Yseut à être livrée aux lépreux. Tristan échappe à ses gardiens, enlève Yseut aux lépreux avec l'aide de Governal son précepteur ; ils s'enfuient dans la forêt du Morroi, où Tristan, toujours ingénieux, invente l'arc infaillible, qui ne manque jamais son but. Leur vie est âpre et rude, ils ne dorment jamais au même endroit, mais « l'amour qu'ils ont l'un pour l'autre les rend insensibles à la douleur » *(p. 80).*

g) le roi Marc découvre
 les amants endormis dans la forêt

C'est dans leur retraite forestière que Marc les découvre un jour, soit par hasard en chassant, comme chez Gottfried, dans la Saga ; soit sur une dénonciation, comme chez Béroul, Eilhart et dans la Folie d'Oxford. *Ils sont endormis, enlacés mais tout habillés, et l'épée de Tristan entre eux ; ces détails convainquent le roi de leur innocence. Marc prend l'épée de Tristan et met la sienne à sa place, il prend au doigt d'Yseut l'anneau qu'il lui avait donné et le remplace par le sien propre ; il renouvelle par ces deux gestes les pactes de fidélité qui liaient à lui chacun des amants — et échange du même coup deux symboles sexuels contre deux autres. Dans certaines versions dont les* Folies *d'Oxford et de Berne le roi accomplit un geste supplémentaire ; un rayon de soleil frappait le visage d'Yseut : le roi bouche de son gant le trou par lequel passait le soleil. Béroul situe cette scène au solstice d'été (voir p. 100) ; elle est donc à mettre en rapport d'une part avec le soleil au zénith qui présidait à l'épisode du philtre, et d'autre part avec le rêve d'un palais de verre suspendu entre ciel et terre et traversé de soleil, où Yseut et lui pourraient s'aimer, que décrit Tristan déguisé en fou dans la* Folie d'Oxford : *au soleil-passion, Marc oppose l'obstacle du gant, symbole de son pouvoir. Cette scène est l'une de celles qu'a le plus volontiers représentées le Moyen Âge. Au siècle suivant, avec sa sophistication coutumière, le romancier Jean Renart décrit, dans* L'Escoufle, *ce tableau gravé sur le couvercle d'une coupe d'or émaillée.*

h) retour à la cour des amants pardonnés

L'épisode de la découverte des amants endormis coïncide chez Béroul et Eilhart (mais pas chez Thomas et ses traducteurs) avec le moment où le philtre cesse son effet. Aidés par un ermite nommé Ogrin,

Tristan et Yseut demandent à revenir à la cour. Marc accepte.

Dans l'autre tradition, issue de Thomas sans doute, il n'est pas fait allusion à la durée du pouvoir du philtre. Marc, convaincu de l'innocence des amants, accepte de les recevoir quand ils décident, d'eux-mêmes, de revenir. Béroul situe à ce moment-là le serment ambigu prêté par Yseut, sur lequel nous reviendrons (p. 31-32).

i) les amants à nouveau surpris ; exil de Tristan

Les amants se revoient en cachette (ce qui nous est parvenu du roman de Béroul s'interrompt au cours de l'un de ces rendez-vous dramatiques). *Ils finissent par être surpris, et Tristan doit s'enfuir : c'est le « rendez-vous dans le verger »* donné par le roman de Thomas, et auquel les *Folies font allusion. Le roi découvre les amants endormis dans le verger, mais sans épée entre eux cette fois-ci ; il part chercher des témoins car la coutume exige d'une part que l'adultère soit prouvé par le flagrant délit, et qu'il y ait des témoins. Pour éviter le pire, Tristan quitte la cour. Les amants se séparent sur une promesse de fidélité, et Yseut donne un anneau à Tristan. C'est cet anneau qui par la suite va servir de signe de reconnaissance entre les amants séparés.*

j) Tristan et Yseut séparés ;
    mariage de Tristan avec une autre Yseut

À partir de l'exil de Tristan, le récit subit une nouvelle mutation. Désormais les amants sont séparés, et

Tristan ne pourra plus approcher Yseut que subreptice-
ment, sous de fausses identités, ou déguisé : en fou, en
marchand, en pèlerin, en lépreux, en musicien. Les
brefs récits des Folies, *de* Tristan rossignol, *poème*
anonyme de la fin du XIIᵉ *siècle, ou de l'épisode du*
Tristan ménestrel *que Gerbert de Montreuil a inclus*
au siècle suivant dans sa continuation du Conte du
Graal, *se situent tous à cette étape de la légende.*

Tristan va de pays en pays, éprouvant sa vaillance.
Après des années d'errance, il arrive en Petite-
Bretagne (notre Bretagne actuelle) où il se lie avec le
fils du duc, Kaherdin. Celui-ci a une sœur nommée
elle aussi Yseut[1] *— Yseut aux Blanches Mains : elle*
est belle et devient amoureuse de Tristan. Celui-ci dé-
cide de l'épouser, pour trois raisons : parce qu'elle lui
rappelle la reine à cause de son nom et de sa beauté ;
parce qu'il espère oublier la reine avec cette femme ; et
enfin pour faire l'expérience de ce que vit la reine avec
son époux. Mais Tristan ne peut oublier la reine, et le
mariage n'est pas consommé[2]. *Pour se consoler, Tris-*
tan a fait placer les statues d'Yseut et de sa suivante
Brengain dans une salle secrète : c'est là qu'il s'entre-
tient avec celle qu'il n'a cessé d'aimer.

---

1. Sauf dans la *Saga* et dans la *Tavola ritonda* (version italienne
du XIVᵉ siècle), où la reine et l'épouse portent des noms légèrement
différents.
2. Le texte de Gottfried s'interrompt juste avant le mariage.
Un fragment du roman de Thomas a conservé cet épisode.

k) Tristan blessé mortellement ;
   la voile noire ; mort des amants

*Un jour, un chevalier nommé Tristan le Nain —
encore un double — demande l'aide de Tristan pour
retrouver son amie enlevée par un géant ; au cours du
combat le chevalier est tué et Tristan reçoit une blessure
empoisonnée. Il envoie secrètement Kaherdin chercher
Yseut la reine de l'autre côté de la Manche, en Cornouailles, car elle seule pourrait le guérir : une voile
blanche signalera qu'elle est sur le navire, une voile
noire son absence. Mais l'épouse, Yseut aux Blanches
Mains, a épié la conversation : lorsque le navire revient, elle annonce faussement à Tristan que la voile
est noire ; Tristan meurt aussitôt de désespoir ; Yseut
débarque enfin, et meurt sur le corps de son bien-
aimé. Eilhart rapporte que sur les tombes voisines
des amants poussèrent un rosier et un cep de vigne
enlacés, et la Saga évoque l'existence de chênes aux
branches entremêlées au-dessus des deux tombes.*

ORIGINES DE LA LÉGENDE

*L'histoire de Tristan et Yseut ainsi résumée fait
apparaître nombre d'éléments narratifs dont la source
n'est ni l'Antiquité gréco-latine[1], ni la poésie lyrique*

---

1. On a toutefois rapproché à juste titre la figure du Morholt
de celle du Minotaure, la lutte de Tristan contre le dragon de
l'histoire de Jason, et l'image des deux voiles blanche et noire de
l'épisode du retour de Thésée.

occitane, ni aucune œuvre contemporaine. Quelle en est donc l'origine ?

Deux hypothèses, principalement, ont été formulées : celle d'une origine celtique, prouvée dès 1913 par Gertrude Schoepperle[1] et sans cesse approfondie depuis ; et celle d'une origine orientale, soutenue essentiellement par Pierre Gallais, et reprise au moins partiellement par André Miquel tout récemment. L'onomastique, et de nombreux épisodes présents dans des légendes celtiques, plaident pour une origine insulaire au moins pour l'essentiel. Quoi qu'il en soit, il semble que c'est à travers les récits d'un certain Bréri, un conteur qui aurait vécu en Angleterre au milieu du XIIᵉ siècle, que l'histoire de Tristan et Yseut aurait été connue en France. Mais plus sans doute qu'une hypothétique vérité sur des « origines », ce qui est important, c'est l'utilisation que fait la légende d'éléments préexistants, en les transformant, en les réinterprétant.

Le philtre est, nous semble-t-il, le meilleur exemple de la transformation que la littérature médiévale a imposée aux éléments légendaires et folkloriques qu'elle empruntait. Tel qu'il apparaît dans le corpus tristanien, il est en effet d'une nouveauté radicale, dans sa fonction et ses effets comme dans sa signification.

1. G. Schoepperle, « *Tristan and Isolt* ». *A Study of the Sources of the Romance*, 2 vol., Londres-Francfort, 1913.

LE PHILTRE D'AMOUR :
DE LA MAGIE À LA COURTOISIE

*Le philtre qui est au centre de la légende trista-
nienne est fondamentalement différent des potions
magiques qui dans les légendes celtiques procuraient
le sommeil ou l'oubli, ainsi que de la notion celtique
de* geis, *ou « contrainte », « enchantement », infligé
au héros par la femme qui l'aime ou qu'il aime. En
effet il s'agit ici non pas d'une contrainte univoque,
imposée par une femme à un homme, mais d'un sort
qui frappe également les deux personnes concernées.
La femme a changé de rôle, et du même coup le rapport entre les amants change également : ils sont
égaux.*

*Mais le philtre des romans tristaniens n'est pas uni-
quement un breuvage au pouvoir magique : il a aussi
une fonction symbolique. D'une certaine façon il
joue le rôle du dieu Amour de la lyrique médiévale.
Le philtre, nouvelle métaphore du désir, en donne
cependant une conception différente, plus tragique, car
il met à nu son caractère tout à la fois contraignant et
aléatoire.*

*Pour le Moyen Âge, l'un des effets de l'invention
du philtre est d'éluder totalement, de dépasser la
question : qui a séduit l'autre ? La femme, disait habituellement l'Église, est une nouvelle Ève responsable
de tous les péchés des hommes. L'homme, disaient
quelques moralistes, est le coupable puisque la femme*

est un être faible incapable de dominer ses pulsions. Dès lors que le philtre est cause de l'attirance des amants l'un vers l'autre, il les déresponsabilise l'un comme l'autre. Remarquons que cette invention n'a cependant pas connu d'imitation : reconnaître un tel pouvoir au désir — ou à son symbole, le philtre — pouvait mener fort loin, et c'est là l'une des audaces de cette légende.

Il est une autre question que le « vin herbé » rend caduque : c'est celle des justifications de l'amour. La femme n'est plus aimée parce que belle, ou reine, mais parce qu'elle a bu le vin magique en même temps qu'un homme, qu'elle aime non pour sa beauté ou sa valeur, mais parce qu'elle ne peut faire autrement. Les raisons d'aimer ne résident plus dans la beauté ou la valeur de l'autre, ou dans quelque autre vertu. L'unique cause de l'amour est le philtre. Dans le roman de Béroul, Yseut dit à l'ermite Ogrin : « Il ne m'aime et moi je ne l'aime qu'à cause d'une boisson empoisonnée dont j'ai bu, ainsi que lui » (p. 81-82). Et Tristan de même : « Si elle m'aime, c'est sous l'effet d'un philtre. Nous ne pouvons plus nous séparer l'un de l'autre » (p. 80-81). Dès lors, la fidélité et le désir sont posés comme une contrainte : si les amants ne se parlent pas d'une semaine, ils deviennent malades à en mourir, rappelle Eilhart.

Cependant, autre nouveauté, ni chez Eilhart ni chez Béroul, l'amour ne meurt quand cesse le pouvoir du philtre. Et si Tristan peut soupçonner Yseut d'infidélité ou d'oubli, c'est bien que leur amour n'est pas seulement une contrainte magique liée au vin. Dans

*les deux traditions, l'une plus ancienne (Béroul et Eil-
hart), l'autre plus « lyrique » (Thomas et ses adapta-
teurs), il apparaît bien que l'amour existe en soi. Chez
Béroul, les amants se lient par un échange de deux
symboles de la fidélité, le chien contre l'anneau. Chez
Thomas, la durée du pouvoir du philtre est illimitée,
et pourtant lors de la séparation dans le verger, les
amants échangent une promesse, et Yseut remet à
Tristan un anneau : était-ce superflu, inutile ? Non
pas : c'est cette promesse, et la vue de cet anneau qui,
lors de son mariage avec l'autre Yseut, conduisent
Tristan à rester fidèle à la reine ; sans cela, ne se serait-
il pas uni à cette jeune fille si attirante ?*

*Le philtre rend compte de la durée limitée du désir,
il prend en charge en quelque sorte son caractère imprévisible et fugace, grâce à l'idée d'un terme fixé de l'extérieur, étranger à la volonté des protagonistes. Le
philtre a les caractères du désir, tout à la fois contraignant et imprévisible. Indépendant de la volonté, on
n'en maîtrise ni le surgissement, ni le cours, ni l'ex-
tinction. D'une certaine manière, le philtre transforme le désir en destin.*

L'AMOUR ET LA MORT

*Mais pour le Moyen Âge, ce n'était pas là sans
doute l'essentiel. Ce que répètent sans cesse les deux
amants, et qui nous touche encore, c'est autre chose,
que la psychanalyse a su explorer : ils disent qu'à travers cette boisson l'amour et la mort sont liés. Tristan*

s'exclame, dans le roman de Thomas : « Ce breuvage contenait notre mort, nous n'en aurons jamais de guérison[1]. » *Et dans cette même version, Yseut, venue à sa fin, ne trouve comme métaphore de la mort que ce même mot* bevre — « boisson, breuvage, philtre » : « Puisque je n'ai pu arriver à temps, que je n'ai pas su ce qui vous était arrivé et que je suis venue pour vous trouver mort, je trouverai le réconfort dans le même breuvage : vous avez perdu la vie à cause de moi, je me comporterai donc en amante fidèle, pour vous je veux mourir de même[2]. » *Cette alliance, Richard Wagner mieux que tout autre en a privilégié la représentation dans son opéra* Tristan et Isolde.

DES ROMANS DE LA SUBVERSION

Dès qu'ils apparaissent, dans les années 1170-1180, ces romans suscitent tout à la fois fascination et réactions de rejet. On l'a dit, chez Chrétien de Troyes on perçoit la volonté de transformer radicalement les thèmes tristaniens, dans son roman Cligès *tout spécialement. Et au siècle suivant, dès les années 1230, vont apparaître des versions, en prose celles-là, qui forment ce qu'on peut appeler « la seconde génération des récits tristaniens ». Ce sont des romans qui insèrent l'histoire des deux amants dans le cadre bien plus vaste du monde arthurien ; Tristan devient l'un*

1. Voir Thomas, *Tristan et Yseut*, Gallimard, « Bibliothèque de la Pléiade », p. 194, vers 2649-2650.
2. Voir Thomas, *op. cit.*, p. 211, vers 3261-3264.

*des plus valeureux chevaliers de la Table Ronde, et
Yseut est comparée à Guenièvre, l'épouse du roi
Arthur, aimée et amante de Lancelot. Ce renouvellement transformait profondément le récit initial, dans sa
forme aussi bien que dans sa signification. La nouvelle
version, « arthurianisée » et « encourtoisée », corres-
pondait mieux aux idéaux du XIIIe siècle, et elle connut jusqu'au XVIIIe siècle un succès continu dans
l'Europe entière. En 1620 encore, Pierre Sala en donnait une ultime version, que l'on réimprima jusqu'au
début du XIXe siècle. Mais cette version quelque peu
adoucie de l'histoire des amants, qui la connaît
aujourd'hui ? Ce ne sont pas ces récits plus tardifs qui
nous enchantent.*

*Au XIXe siècle en effet on a redécouvert les formes
anciennes de la légende : après des siècles d'oubli, la
philologie naissante s'alliait au romantisme dans son
premier âge pour célébrer ces récits de « la toute-puis-
sance de l'amour*[1] *». C'est à Walter Scott, l'auteur
d'*Ivanhoé *et de* Quentin Durward, *que revient le
mérite d'avoir impulsé le mouvement de réédition de
ces versions très anciennes de la légende. En une tren-
taine d'années fut mis à la disposition du public un
énorme ensemble de textes qui jusqu'alors étaient
restés confinés dans des manuscrits méprisés. Parallè-
lement, poètes et musiciens romantiques s'emparaient
de la légende. Ce mouvement de retour aux sources
connut son apogée avec Richard Wagner qui acheva*

---

1. Albert Pauphilet, *Le Legs du Moyen Âge. Études de littérature médiévale*, Melun, Librairie d'Argences, 1950, p. 127.

son Tristan et Isolde *en 1859[1], et pour le public littéraire français avec l'adaptation que Joseph Bédier
donna en 1900 à partir de l'édition savante qu'il
venait d'établir. Romans de la violence, et de la subversion, là est sans doute la raison pour laquelle ces
textes furent dès le Moyen Âge occultés, écartés,
transformés.*

*Denis de Rougemont, sur un tout autre plan, a
affirmé lui aussi le caractère radicalement transgressif
de la légende tristanienne. Dans un essai brillant qui
a connu longtemps un vif succès, et à travers lequel
souvent le public a eu pour la première fois accès aux
légendes tristaniennes, il a mis au jour les traits de ces
récits qui, selon lui, expliquaient leur séduction. Il y
voit la trace de l'affrontement, au Moyen Âge, de
deux morales : « celle de la société christianisée, et
celle de la courtoisie hérétique[2] » — hérétique car son
origine est pour lui liée au mouvement cathare. En
effet, la première « impliquait le mariage, l'autre exal-
tait un ensemble de valeurs d'où résultait la condamnation du mariage ». Il voyait dans ce roman l'origine
du triangle adultère qui fait la trame de tant de nos
romans européens[3].*

1. R. Wagner, *Tristan et Isolde*, préface de Pierre Boulez, traduction et présentation d'André Miquel, Gallimard, « Folio
théâtre », 1996.
2. D. de Rougemont, *L'Amour et l'Occident*, Plon, 1939,
rééditions en 1956 et 1972, p. 275.
3. On pourrait ajouter : de tant de films aussi.

UN ROMAN DU RENONCEMENT :
L'ANTI-COURTOISIE

Il est un autre aspect, plus important, par lequel l'histoire de Tristan se situe en dehors de l'éthique courtoise. Lancelot évoque Guenièvre comme celle à qui il doit d'être le meilleur chevalier du monde, celle qui lui a inspiré ses exploits. La dame courtoise a en effet d'abord cette fonction civilisatrice, elle intègre le jeune homme à la société féodale, lui en fait partager les valeurs, et elle fait de lui du même coup un protecteur et un garant de cette société. Car la dame a une position de médiatrice entre le jeune chevalier et le seigneur son époux, et il en résulte une relation très forte entre les deux hommes, qui dans bien des cas contrebalance la relation adultère.

Or l'histoire de Tristan apparaît, bien au contraire, comme une série de renoncements, comme une marginalisation progressive aboutissant à la mort. Il faut examiner dans cette perspective les déguisements de Tristan : ils illustrent parfaitement ce parcours. Contrairement à la dame courtoise qui incite à l'exploit des armes, l'amour qu'il porte à Yseut excite chez Tristan non ses facultés guerrières, mais la ruse et l'affabulation. Il se déguise pour l'approcher, mais toujours, on ne l'a pas assez souligné, en marginal, en inférieur, en exclu, difforme ou repoussant, borgne ou couvert de pustules, sale et méprisable. Ses déguisements sont ceux d'hommes hors société, qui se

*vendent ou vendent leur talent. Lorsqu'elle devient
possible, dans la forêt, l'union avec la femme aimée
conduit chez Béroul non pas au trône et aux richesses,
mais à la vie errante aux marges de la civilisation, dans
une forêt pleine de dangers, où la viande est crue et
les vêtements haillons. Dans l'autre version, chez
Gottfried, elle conduit à une pure illusion, celle de la
vie paradisiaque dans la « grotte d'amour ». Par la
suite, banni du royaume de Marc, Tristan ira de pays
en pays, lui le destinataire de deux royaumes. Et sa
tentative de mariage sera un échec.*

*Cette capacité de renoncement se perçoit aussi dans
l'usage que fait Tristan du langage. D'une part il s'invente des vies — mais des vies de fou ou de mendiant,
qu'il raconte au roi Marc, toujours difformes et bouf-
fonnes. Et d'autre part il se crée des pseudonymes :
Pro lors de son premier voyage en Irlande chez Eilhart, ou Picout dans la Folie de Berne, et l'on sait que
c'est là un nom de bouffon, et surtout Tantris, dont l'in-
version syllabique est suffisamment parlante. La per-
version du langage que pratique Tristan n'est pas
identique à celle dont use Yseut, qui est plus élo-
quente, et théâtralise leur situation.*

LES POUVOIRS DU LANGAGE

*Yseut, plus encore que Tristan, possède l'art du
langage équivoque, du discours à double sens, comme
dans l'épisode du verger, ou lors du serment « ambigu » rapporté par Béroul et Gottfried, où Yseut*

doit jurer qu'elle n'a pas commis d'adultère. Ainsi chez Béroul, Yseut, montée à califourchon sur le dos de Tristan déguisé en lépreux, peut jurer sans « mentir » qu'aucun autre homme que le roi Marc son époux et, bien sûr, ce malheureux lépreux, n'ont pénétré entre ses jambes.

Mais le mensonge, les discours voilés et les images parfois très crues ne sont pas l'unique facette de leur art du langage. Il faut se rappeler aussi que les amants sont tous deux musiciens, poètes, chanteurs, et que parfois l'expression de leur amour, de leur douleur, passe par la poésie : on voit chez Thomas Yseut chanter le Lai de Guiron *en pensant à Tristan.*

De fait, la fascination qu'exerce l'histoire des amants de Cornouailles passe par un langage qui dit l'amour et la mort, qui dans son rythme lie à jamais l'amant à l'aimée et l'amour à l'éternité. Tout autant que les séductions d'un amour-passion vivace au-delà de la mort, ce sont les charmes des formules binaires, balancées autour de mort *et d'*amour*, qui ont fixé leur rythme et leur chant dans la mémoire qu'on a conservée depuis des siècles de la légende de Tristan et Yseut :*
« Belle amie, il en est ainsi de nous,
  Ni vous sans moi, ni moi sans vous[1]. »

Christiane Marchello-Nizia

---

1. Marie de France, « Le Lai du Chèvrefeuille », in *Lais, op. cit.*, p. 323, vers 77-78.

Tristan et Yseut

Les éditeurs précédents ont donné pour titre au texte de Béroul Le Roman de Tristan. *Aucune référence ne le confirme. Par rapport à d'autres formes de la légende (Chrétien de Troyes, pour sa part, disait avoir « fait »* Del roi Marc et d'Ysalt la blonde, *qui a disparu), le texte semble mettre l'accent sur le couple que forment Tristan et Yseut. D'où le choix de notre titre.*

. . . .

[Elle fait en sorte] que rien de compromettant n'apparaisse[1]. S'approchant alors de son ami, écoutez-bien, voilà comment elle prend les devants[2].

« Seigneur Tristan, par Dieu le roi glorieux, c'est me faire commettre une grave faute que de m'appeler à une heure pareille ! » Puis elle fait semblant de pleurer . . . .

. . . .

. . . .

---

1. Notre texte commence au cours du rendez-vous des deux amants dans le verger. Marc a éloigné Tristan de la cour, selon la tradition commune (Eilhart, Thomas, Gottfried, voir p. 8-9 et 12-13). Tristan fait comprendre à Yseut sa présence près de la source (la *fontaine*) en faisant porter des copeaux de bois par le ruisseau jusqu'au château, et c'est ainsi qu'ils se retrouvent. Mais cette nuit-là le roi, sans doute averti par le nain Frocin, est monté dans le pin qui s'élève au-dessus de la fontaine. Grâce au clair de lune, Tristan a aperçu l'image du roi reflétée par l'eau. D'après le vers 351, p. 48, il semble que son amie l'ait aussi vue, mais elle ne fait semblant de rien, et va essayer de faire croire à son innocence par ses protestations, prenant son mari à son propre piège.
2. C'est Yseut qui prend les devants, inaugurant la stratégie du double langage pour tromper le roi.

« Par Dieu[1], créateur du ciel et de la mer, ne me demandez plus jamais de venir. Car je vous le déclare tout net, Tristan, soyez certain que je ne viendrais pas. Le roi s'imagine qu'une folle passion m'a fait vous aimer, Tristan ; mais je prends Dieu à témoin de ma loyauté[2] : que ses coups s'abattent sur moi si un autre que celui qui m'a prise vierge a jamais été mon amant ! Si les félons[3], dans ce royaume pour lequel vous avez jadis combattu le Morholt[4] avant de le

1. L'argumentation d'Yseut, jalonnée par des répétitions, souligne l'ingratitude des barons *félons* à l'égard de Tristan, suggérant au roi qu'on ne peut leur faire confiance. Elle insiste sur la crainte qu'elle éprouve envers son mari et le respect qu'elle lui porte.
2. La fréquence des appels à Dieu, qui sonnent étrangement dans une version moderne du texte, relève plus des pratiques du langage que du sentiment religieux. Mais ce poème mettant un accent particulier sur le doute que provoque toute affirmation dans un tel contexte de tromperie, il faut à chaque instant soutenir toute assertion par une invocation de nature à en renforcer la véracité. Ici, le serment ambigu, bientôt suivi d'un autre, nous prépare au grand épisode du faux serment devant les cours d'Arthur et de Marc réunies au Mal Pas, dans la seconde partie p. 166. C'est Tristan qui a eu le « pucelage » d'Yseut, après que les amants eurent bu le philtre amoureux ; mais Marc ne le sait pas. Ne soyons pas choqués par l'absence de discrétion dans les propos d'Yseut. Outre le trait d'une mentalité dite médiévale, le style d'un roman assez éloigné de la grandiloquence épique nous rapproche parfois de la tradition des contes à rire.
3. Le terme de *félons* dénonce la déloyauté de certains barons à l'égard du roi. Il transpose dans le registre de la moralité féodale le personnage du *losengier*, le « médisant », l'ennemi des amants dans la poésie courtoise.
4. L'appellation *Morholt* suggère un monstre, dont le dragon combattu ensuite par Tristan reprendrait la fonction. Mais dans cette tradition littéraire il est devenu l'oncle d'Yseut (voir préface, p. 15). Le rappel de ce premier combat livré par le héros contre lui fait remonter à cette époque une amitié dont Yseut s'emploie à convaincre le roi qu'elle ne fut pas une passion charnelle.

tuer, font croire au roi (comme il me semble) que
nous avons une liaison amoureuse, seigneur, vous n'y
êtes pour rien. Quant à moi, par Dieu tout-puissant,
je n'ai pas le cœur à prendre un amant pour être déshonorée. Je préférerais être brûlée vive, et que mes
cendres fussent éparpillées au vent plutôt que de
partager, un seul jour de ma vie, l'amour d'un autre
homme que mon mari. Mais, Dieu ! pourtant il ne me
fait pas confiance ! Je puis bien dire : quelle chute !
Seigneur, Salomon[1] a raison de dire : celui qui sauve le
voleur du gibet ne peut attendre de lui aucun amour.
Si les félons de ce royaume . . . .
. . . .
ils auraient dû se cacher de nous. Vous avez dû
endurer bien des souffrances à cause de la blessure
reçue dans le combat que vous avez livré à mon
oncle. Je vous ai guéri. Si vous étiez devenu mon
amant à ce moment-là, cela n'aurait pas été étonnant[2],
ma foi ! Mais ils ont fait entendre au roi que vous
m'aimez d'un amour coupable, aussi vrai qu'ils espé-
raient voir un jour Dieu et son royaume ! Mais il n'y
a pas de danger qu'ils le voient en face. Tristan, évi-
tez de me faire venir où que ce soit et quelle qu'en
soit la raison. Je ne serais pas assez hardie pour oser
m'y rendre[3]. Mais je m'attarde trop ici, sans mentir,
car si le roi en avait la moindre idée il me ferait

1. On attribue à Salomon bien des proverbes qui ne se trouvent
pas, à la lettre, dans son « livre » (Ancien Testament).
2. L'affection de Tristan pour Yseut est présentée comme un
signe normal de gratitude, et non comme une passion coupable.
3. Yseut joue à la femme timide, peureuse, donc respectueuse
de son mari et de la morale.

couper en morceaux, et ce serait une grave injustice. Je sais bien qu'il me donnerait la mort[1].

« Non, Tristan, le roi ne sait pas que ce que j'ai eu d'affection pour vous venait de lui : c'est à cause de vos liens de parenté que je vous chérissais[2]. Autrefois, j'ai compris que ma mère aimait beaucoup les parents de mon père. Elle disait en effet qu'on ne pourrait jamais dire d'une femme qu'elle aimait bien son mari si elle n'en chérissait pas aussi les parents. Oui, je sais bien qu'elle disait la vérité. Ainsi, Tristan, je t'ai beaucoup aimé à cause du roi Marc, et pourtant cela m'a valu cette disgrâce. — C'est vrai . . . . mais il n'est pas seul en cause[3] . . . . Ce sont ses gens qui lui ont, contre toute vérité, fait croire que nous étions coupables.

— Seigneur Tristan, que voulez-vous dire ? Le roi, mon mari, est un homme très courtois ; jamais il n'aurait eu l'idée de lui-même que nous puissions avoir tous les deux une telle pensée[4]. Mais on peut égarer un homme et l'inciter à faire le mal en délaissant le bien. C'est bien ce qui s'est passé pour mon mari. Tristan, je m'en vais, j'ai trop tardé.

1. La menace est réelle, mais Yseut ne peut céder à la crainte, d'abord en raison de l'effet du philtre, mais aussi par un trait de caractère qui se confirmera dans la seconde partie.
2. Cette explication attire notre attention sur la complexité des rapports entre Tristan et Yseut. Le mensonge renvoie à ce qu'aujourd'hui on appelle l'inconscient.
3. Tristan essaie de gagner la confiance du roi en reportant la responsabilité de ses soupçons sur les mauvais conseillers.
4. Reprenant cette manœuvre, Yseut prend la défense de son mari à qui Tristan semble reprocher trop de crédulité. La faiblesse de caractère du roi apparaîtra encore dans la suite du récit.

— Madame, pour l'amour de Dieu, pitié ! Je vous ai fait venir, et vous voilà ici. Écoutez un peu ma prière ! J'ai eu tant d'affection pour vous[1]. » En entendant parler son amie, Tristan a compris qu'elle s'était rendu compte de la situation, il en rend grâces à Dieu. Maintenant il sait qu'ils pourront s'en sortir. « Hélas ! Yseut, noble fille de roi, courtoise, en toute bonne foi je vous ai souvent appelée depuis que votre chambre m'a été interdite et depuis que je n'ai plus eu le droit de vous parler ! Madame, je veux maintenant faire appel à votre pitié : souvenez-vous de ce malheureux qui souffre peine et douleur ; car j'éprouve une telle douleur du fait des mauvaises pensées du roi au sujet de nos sentiments qu'il ne me reste plus qu'à mourir . . . .
. . . .
[J'aurais souhaité] qu'il fût assez sage pour ne pas croire les mauvais conseils qui l'ont fait m'éloigner[2]. Ces félons, ces trompeurs de Cornouailles[3] s'en réjouissent maintenant et en plaisantent. Je vois bien, c'est ma conviction, qu'ils souhaiteraient éliminer de son entourage les gens de son lignage. Son mariage m'aura été la cause de bien des ennuis[4]. Dieu !

---

1. La prière adressée à Yseut a une vivacité qui laisse transparaître les vrais sentiments de Tristan.
2. Nous apprenons ainsi que Tristan a déjà fait l'objet d'une mesure d'éloignement.
3. Les habitants de Cornouailles (*Cornwall*, région d'Angleterre, que nous distinguons par l'orthographe de la Cornouaille en France) semblent visés collectivement, mais il doit s'agir des conseillers du roi.
4. Il y a là une parole à double entente.

pourquoi le roi est-il si peu sage ? Je préférerais me laisser pendre par le cou à un arbre plutôt que de jamais vous prendre pour maîtresse. Mais il ne me permet même pas de me justifier. Les traîtres qui l'entourent le poussent à se fâcher contre moi, et pourtant il a bien tort de les croire. Ils l'ont trompé, mais il n'y voit goutte. Je les ai vus bien silencieux et muets quand le Morholt est venu par ici : alors on n'en trouvait pas un seul pour oser prendre les armes[1]. J'ai vu alors mon oncle plongé dans la tristesse ; il aurait préféré être mort. Pour défendre son royaume j'ai pris les armes et j'ai affronté le combat ; j'ai chassé l'ennemi[2]. Mon cher oncle n'aurait pas dû croire les mensonges de ses mauvais conseillers. Souvent j'y pense avec chagrin. S'imagine-t-il n'y avoir aucune responsabilité ? Eh bien si, il ne peut y échapper !

« Par Dieu, fils de sainte Marie, allez vite lui dire, madame, qu'il fasse préparer un bûcher ardent, et j'affronterai l'épreuve du feu[3] : s'il y a seulement un

1. Cet épisode ne nous est pas parvenu. Dans le *Tristrant* d'Eilhart, Morholt, fort comme un géant, a imposé un tribut à plusieurs pays — dont la Cournouailles — assujettis au roi d'Irlande, son beau-frère. Marc devrait livrer un enfant sur trois, filles et garçons, de l'âge de quinze ans, pour servir d'esclaves et de prostituées. Mais cette fois-ci le roi Marc a refusé de se soumettre. Morholt propose un combat singulier pour régler le différend. Aucun des princes ne voulant l'affronter, ils soutiennent la candidature du jeune Tristan, dont on apprend alors qu'il est le fils de Blanchefleur, la sœur de Marc .

2. Le combat a eu lieu sur une île. Tristan est blessé par l'arme empoisonnée de Morholt, mais il triomphe en fendant le crâne de son adversaire, où reste enchâssé un éclat de son épée.

3. Le thème de l'ordalie (épreuve judiciaire par l'eau ou le feu) apparaît sous plusieurs formes dans notre poème.

poil de brûlé à la haire que j'aurai revêtue, qu'on me
laisse réduire en cendres dans ce feu. Car je sais bien
qu'il n'y a personne à la cour pour oser m'affronter
dans un combat judiciaire[1]. Madame, j'en appelle à
votre noblesse, tout cela ne vous inspire-t-il aucune
pitié ? Madame, j'implore votre miséricorde : inter-
venez en ma faveur auprès du roi dont je suis l'ami.
Quand je suis venu par mer le trouver, je voulais me
présenter à lui comme à mon seigneur.

— Ma foi, seigneur, vous avez bien tort de me
demander de lui parler pour qu'il oublie sa colère
contre vous. Je tiens à la vie et ne veux pas causer
ma perte[2]. Il a de forts soupçons à l'égard de nos
rapports, et j'irais lui en parler ? Ce serait vraiment
trop risqué. Ma foi, Tristan, je n'en ferai rien. Vous
ne devez plus me le demander. Je suis isolée dans ce
pays. Il vous a fait interdire ses appartements à cause
de moi. Si maintenant il m'entend parler de cette
affaire, il aura des raisons de douter de ma sagesse.
Non, je n'en soufflerai mot. Pourtant, je vais vous
dire quelque chose, et je veux que vous reteniez bien
cela : s'il renonçait pour vous, mon beau seigneur, à
sa colère et à sa haine, j'en serais joyeuse et heureuse.
S'il apprenait l'équipée d'aujourd'hui, je sais bien,
Tristan, que je n'aurais aucun recours contre la
menace de mort. Je pars, mais je ne pourrai plus dormir tranquille. J'ai très peur que quelqu'un ne vous

---

1. Un « combat judiciaire » est un combat destiné à révéler qui
a raison, et qui a tort.
2. Béroul n'oublie pas que les paroles d'Yseut s'adressent en fait
au roi Marc.

ait vu venir ici. Si le roi entendait dire que nous nous
sommes rencontrés ici, il me ferait brûler sur un
bûcher[1]. Il n'y aurait là rien d'extraordinaire. Mon
corps tremble tant j'ai peur. La peur qui me saisit
me fait fuir d'ici, je n'ai que trop tardé. »

Yseut s'éloigne, il la rappelle : « Dame, par Dieu
qui prit forme humaine en une vierge pour le salut
du monde, aidez-moi, par charité. Je sais bien, vous
n'osez plus rester. Mais il n'y a que vous à qui je
puisse confier ma plainte ; je sais bien que le roi est
plein de haine à mon égard. J'ai dû engager pour vivre
tout mon équipement[2]. Faites-moi ravoir mon gage[3],
je m'enfuirai, car je n'ose rester ici. Je sais ce que je
vaux. Par toute la terre qu'éclaire le soleil il n'y a pas
une seule cour dont le seigneur ne soit prêt, si j'y vais,
à m'offrir sa protection, je le sais. Et si je connais
mon oncle, Yseut, sur ma tête aux cheveux blonds, il
regrettera d'avoir eu ces pensées avant que ne s'écoule
une année, prêt à payer pour sa faute son propre
poids en or, je puis vous le garantir en toute vérité.
Yseut, aidez-moi, faites que je puisse m'acquitter de
ma dette envers mon hôte[4].

---

1. Apparaît ici le motif du châtiment par le feu, plus fantasma-
tique que juridiquement fondé.
2. Ce motif de l'ingratitude d'un suzerain laissant un fidèle
vassal dans la misère apparaît aussi au début du *Lai de Lanval*, de
Marie de France.
3. Pauvre, Tristan a dû engager son harnois, son armure, pour
payer ses dettes. Il s'agissait sans doute de payer son logement.
4. Tristan ébauche ici une scène de comédie, en demandant un
secours financier à Yseut. Le thème économique, caractéristique
d'un style bas, joue un rôle important dans le texte, surtout dans
la deuxième partie. Il est comme le double réaliste du thème sentimental.

— Par Dieu, Tristan, je suis très étonnée que vous me suggériez une telle démarche. Vous êtes en train de faire mon malheur[1]. Votre idée n'est pas d'un fidèle ami. Vous connaissez bien la méfiance du roi, qu'elle soit fondée ou non. Par Dieu, le seigneur glorieux qui créa le ciel, la terre et les hommes, s'il m'entend prononcer une seule parole en faveur des gages que vous voulez me faire racheter, ce sera pris comme un aveu ! Non, je n'en aurai pas le courage, et je ne refuse pas par avarice[2], sachez-le bien, en toute vérité. »

Alors Yseut est partie, et Tristan l'a saluée en pleurant[3]. Tristan s'appuie sur le rebord de la fontaine de marbre brun ; je l'imagine ainsi ; il se lamente dans sa solitude[4] : « Ah ! Dieu, et vous monseigneur saint Évroult[5], je ne pensais pas que je perdrais tout cela ni qu'il me faudrait fuir dans une telle pauvreté ! Je ne pourrai emmener ni armes ni cheval, ni d'autre compagnon que Governal[6]. Ah ! Dieu, un homme

1. Yseut feint de s'indigner de cette proposition au fond burlesque, faisant de Tristan un amant « entretenu » par la reine. Ces nuances du rire ont généralement échappé aux lecteurs modernes.
2. L'allusion au soupçon d'avarice est une conséquence du refus d'Yseut de faire racheter les gages. Nous sommes encore dans le registre comique.
3. N'oublions pas que ces larmes sont versées pour attendrir le mari trompé.
4. L'attitude de Tristan en larmes, appuyé sur le bord en marbre d'une source captée dans un jardin, ne manque pas de grâce : c'est traditionnellement celle de Narcisse.
5. Ebrulphus (« Evroul ») fut abbé d'Ouche (Orne), et devint le saint patron de plusieurs églises de Normandie, province probable de Béroul.
6. Governal est le maître d'armes de Tristan, celui qui lui a enseigné la chevalerie.

démuni n'obtient que peu d'égards[1] ! Quand je serai dans un autre pays, si un chevalier se met à parler de guerre, je n'oserai faire entendre un mot à ce sujet. Un homme démuni n'a rien à dire. Alors il me faudra supporter ma mauvaise fortune ; elle m'aura déjà bien éprouvé et persécuté. Cher oncle, il me connaissait mal, celui qui m'a soupçonné de déloyauté au sujet de ta femme. Je n'ai jamais été tenté par une telle folie. Ce serait mal me connaître[2] ! » . . . .
. . . .
. . . .
. . . . Le roi qui était caché dans l'arbre avait bien observé le rendez-vous et entendu tout l'entretien[3]. Son cœur en fut si attendri que rien au monde n'aurait pu lui faire retenir ses larmes[4]. Il éprouvait beaucoup de regrets, mais, pour le nain de Tintagel[5], beaucoup de haine.

1. Les réflexions de Tristan prennent un tour proverbial.
2. Cette autojustification semblerait surprenante si elle n'était pas destinée à l'homme caché dans l'arbre.
3. Les pensées du roi Marc vont nous être révélées par un monologue, un passage au style indirect et un second monologue.
4. Deux éléments distincts : la scène vue, et le dialogue entendu. Comme souvent l'interprétation associe au code des gestes et des attitudes la logique et la rhétorique des discours. Mais Marc interprète mal, comme plus tard devant le couple endormi dans la forêt. Cet attendrissement du roi peut le rendre sympathique. Mais ce n'est pas la marque d'un grand homme d'État aux yeux de la noblesse féodale. Marc, plus encore qu'Arthur, est un roi faible : il a des sentiments, il est donc vulnérable.
5. Cette périphrase désigne Frocin. Tintagel est un village de la côte nord-ouest de la Cornouailles britannique. La légende en fait le lieu de naissance du roi Arthur.

« Hélas ! soupire-t-il, je viens de constater que le nain m'a bien trompé ! Il m'a fait grimper dans cet arbre ; il ne pouvait pas me ridiculiser davantage ! Sur mon neveu, il m'a raconté des mensonges, et il sera pendu pour cela. Il m'a ainsi poussé à la colère, et m'a inspiré de la haine pour ma femme. Je l'ai cru : pure folie de ma part ! Il aura en échange la récompense qu'il mérite. Si je peux le rattraper, je le ferai périr par le feu. Il recevra de moi un châtiment plus cruel encore que celui infligé à Ségoçon par Constantin, qui le fit châtrer après l'avoir surpris avec sa femme. Il l'avait couronnée à Rome, et elle avait de nombreux gentilshommes à son service. Il la chérissait et l'honorait. Celui qui se conduisit mal avec elle eut à le regretter[1]. » Tristan est parti depuis un certain temps quand le roi descend de l'arbre. Il pense qu'il faut croire sa femme, et ne pas croire les barons de son royaume qui lui faisaient imaginer quelque chose qui n'est pas vrai, il le sait bien maintenant, car il a la preuve du mensonge[2]. Il n'aura de cesse que de donner au nain, avec son épée, la récompense qu'il mérite, le mettant hors d'état de mentir. Quant à lui, il ne soupçonnera plus Tristan d'aimer Yseut, mais il leur laissera libre accès à sa chambre quand ils voudront[3].

1. Allusion à la légende selon laquelle la femme de l'empereur Constantin était devenue la maîtresse du nain Segoçon. Mais ici ce n'est pas le nain qui est l'amant d'Yseut. Dans sa colère le roi veut le faire payer pour le vrai coupable.
2. Le problème de la croyance, c'est-à-dire de l'opinion (au sens philosophique) et de la confiance, est posé avec insistance dans ce passage.
3. L'insistance du roi à faciliter les rapports des amants est ici remarquable : Marc se trouve dans le rôle de mari « magnifique ».

« Maintenant je sais enfin la vérité[1]. Si l'accusation avait été fondée, cet entretien ne se serait pas terminé ainsi. S'ils s'aimaient d'amour coupable, ils avaient là une belle occasion, je les aurais vus s'embrasser. Mais, après les avoir entendus se lamenter ainsi, je sais bien qu'ils n'y pensent pas. Pourquoi ai-je cru à une telle énormité ? J'en ai honte et repentir. On est fou de croire n'importe qui. J'aurais mieux fait d'établir la vérité sur leurs rapports que de me lancer dans cette aventure. C'était vraiment la chance qui les attendait ce soir. De leur entretien je retire l'enseignement que je n'aurai plus de souci à me faire à leur sujet. Demain matin Tristan aura ce qui lui est dû, et il aura le droit de se rendre dans ma chambre à son gré. Il ne va plus être obligé de s'enfuir comme il l'envisageait ce matin. »

Écoutez maintenant[2] ce qui va arriver à Frocin, le nain bossu. Il était dehors, et regardait en l'air, quand il aperçut Orion et Vénus Lucifer. Il connaissait la course des étoiles, et savait reconnaître les sept pla-

---

1. Voici le roi en train d'interpréter la scène dont il a été le témoin. Il va se tromper sur la signification à lui donner. De même, plus tard, il s'abusera sur les indices qu'il découvrira dans la loge de feuillage. Le problème de la vérité à déduire des apparences, les difficultés de l'interprétation des signes constituent l'un des thèmes de ce texte.

2. Petit intermède narratif avec le nain. Frocin, astrologue, a vu la menace dans les étoiles, ou plus exactement dans la conjonction de la planète Vénus avec l'étoile Orion, qui évoque le chasseur avec l'arc. La rencontre des deux astres marque peut-être simplement l'union de Tristan et Yseut. Mais le nain s'inquiète de son destin personnel. Le nom du nain est à rapprocher du mot *frocine*, qui désigne la grenouille (en anglais : *frog*).

nètes. Il prévoyait bien les événements à venir. Quand
il apprenait la naissance d'un enfant, il tirait l'horoscope détaillé de sa vie[1]. Le nain Frocin, plein de
malice, prenait beaucoup de peine pour tromper
celui qui allait lui faire rendre l'âme.

Parmi les astres il a repéré l'ascendant. De dépit
il rougit, il enfle, car il sait bien la menace que représente pour lui le roi, qui n'aura de cesse qu'il ne
soit détruit. Le nain change de couleur et devient
livide. Il se sauve à toute vitesse vers le pays de
Galles[2]. Le roi le cherche partout, et s'irrite fort de
ne pouvoir le trouver. Yseut est entrée dans sa
chambre. Brengain[3] la voit toute pâle. Elle devine
qu'elle a appris une nouvelle qui l'a bouleversée et
dont elle reste émue et sans couleur[4]. Comme elle
lui a demandé ce qu'elle a, Yseut répond : « Chère

1. Le don d'établir un horoscope pouvait apparaître comme dia-
bolique. Mais le poème français reste dans la perspective du merveilleux.
2. Le pays de Galles, au nord de la Cornouailles, est aussi le
lieu de refuge envisagé par Tristan et Yseut quand ils sont surpris
dans la forêt (p. 102).
3. Le rôle de Brengain est complexe dans la tradition telle que
la rapporte notamment Eilhart. Servante d'Yseut, elle est à ses
côtés quand elle découvre Tristan blessé après le combat contre
le dragon. Elle apaise Yseut lorsqu'elle a reconnu en Tristan le
meurtrier de son oncle, Morholt. Par sa négligence les amants
boivent le philtre. Elle favorise leur union sur le bateau qui les
amène au roi Marc. Mais comme Yseut a perdu sa virginité, elle
doit se substituer à elle pour la nuit de noces. Un peu après,
Yseut craint que Brengain ne la dénonce, et elle cherche à la faire
mourir. Mais la servante, épargnée par ceux qui doivent la tuer,
parvient à se justifier, à rassurer Yseut sur sa fidélité, et se réconcilie avec sa redoutable maîtresse.
4. Les manifestations physiques des sentiments sont notées
avec rigueur : il y a là un code propre à chaque culture.

gouvernante[1], j'ai bien de quoi être pensive et triste.
Brengain, je ne veux pas vous cacher la vérité. Je ne
sais qui aujourd'hui a voulu nous trahir, mais le roi
Marc se trouvait dans l'arbre, au-dessus du rebord
de marbre. J'ai vu son image se refléter dans l'eau
de la fontaine. Grâce à Dieu, j'ai pu parler la première. Je n'ai soufflé mot de ce que je cherchais là,
je vous l'assure, mais ce ne furent que plaintes et
gémissements extraordinaires. J'ai reproché à Tris
tan de m'avoir fait venir, et lui de son côté me
priait de le réconcilier avec mon mari qui à grand
tort se tourmentait, disait-il, au sujet de nos rapports. Je lui ai dit alors que c'était une folle requête,
que je ne reviendrais plus pour le rencontrer, et que
jamais je ne parlerais de lui au roi. Que vous raconter de plus ? Il y a eu beaucoup de plaintes. Le
roi ne s'est aperçu de rien ; il n'a pas pu deviner
mon jeu. Je me suis bien tirée de cette fâcheuse
affaire[2]. »

Cette nouvelle réjouit beaucoup Brengain : « Yseut,
ma dame, Dieu qui jamais ne déçut personne a bien
eu pitié de nous, puisqu'il vous a permis de quitter
le rendez-vous sans dommage, le roi n'ayant rien vu
qui ne puisse être tenu pour honorable. C'est un
grand miracle qu'a accompli Dieu pour vous, qui est

---

1. Brengain est la « gouvernante » d'Yseut, car elle l'a édu-
quée ; sa fonction est symétrique de celle remplie par Governal
aux côtés de Tristan.
2. En ancien français : *tripot*, expression familière, et même un
peu vulgaire. Yseut est un personnage alliant verdeur de langage
à vigueur physique ; elle n'a pas exactement le raffinement d'une
dame courtoise.

vraiment notre père, et qui ne souhaite pas le malheur de ceux qui sont du côté du bien et de la loyauté[1]. » Tristan, pour sa part, avait raconté à son maître tout ce qu'il avait fait. Quand il eut entendu ce récit, Governal rendit grâces à Dieu qu'il n'y ait rien eu de plus entre Tristan et son amie. Le roi n'a pu trouver le nain. Dieu ! il n'en sera que plus dangereux pour Tristan ! Le roi regagne sa chambre. Yseut, qui en a très peur, lui dit en le voyant : « Seigneur, pour Dieu, d'où venez-vous[2] ? Avez-vous besoin de quelque chose pour venir ainsi, seul[3] ? — Reine, disons plutôt que je veux m'entretenir avec vous ; j'ai une question à vous poser. Ne me cachez pas la vérité, car je veux savoir ce qu'il en est. — Sire, jamais je ne vous ai menti. Dussé-je recevoir la mort ici, je dirai toute la vérité ; il n'y aura pas un seul mot de mensonge[4]. — Madame, avez-vous vu récemment mon neveu[5] ? — Sire, je vais tout vous expliquer. Vous n'allez pas

1. Dieu, fort compromis dans cette affaire par le narrateur, représente le secours magique, et ses « miracles » remplissent la fonction du merveilleux dans les contes.

2. *Dont venez vos ?*, en ancien français, est une formule d'accueil qui n'appelle pas plus de réponse précise que notre « comment allez-vous ? »

3. Que le roi se déplace seul, sans sa suite, trahit une intention particulière : Yseut est inquiète de le voir arriver ainsi.

4. Et pourtant les deux amants entourent le roi Marc de mensonges. Mais Yseut sait qu'elle va pouvoir lui prouver qu'elle dit la vérité, une vérité partielle, dans un mensonge global.

5. Il y a tout un jeu entre le *veoir* (la constatation visuelle), le *veoir* (la rencontre) et le *voir* (le vrai). La scène vue par Marc lui a donné l'illusion de la vérité. Mais le discours d'Yseut n'a pas de construction logique. Il fait alterner l'affirmation que ce qui est dit est vrai, avec des allusions à la scène et des définitions de sa conduite.

croire ce que je vais vous dire, et pourtant je dirai la
vérité sans fard. Je l'ai vu, et je lui ai même parlé.
J'étais avec votre neveu sous le pin là-bas. Maintenant,
sire, tuez-moi si vous voulez. Car, oui, je l'ai vu. Tout
cela est bien triste, car vous vous imaginez que j'aime
Tristan et que je me conduis avec lui comme une
dévergondée. Mais j'en ai un tel chagrin qu'il me
serait indifférent si tout cela devait mal se terminer
pour moi selon votre volonté. Sire, pitié pour cette
fois ! Je vous ai dit la vérité ; si vous ne me croyez
pas, mais si vous croyez les folles rumeurs, sans fon-
dement, ma bonne foi sauvera mon âme. Tristan,
votre neveu[1], est venu sous ce pin qui est là-bas dans
ce jardin. Il m'avait demandé de venir l'y rencontrer,
sans rien me dire de plus, et je devais répondre à son
invitation sans barguigner, car c'est grâce à lui que je
suis votre épouse, et la reine. Certes, sans les fourbes
qui vous racontent des mensonges[2], je lui aurais
volontiers témoigné plus d'égards. Sire, c'est bien
vous que je considère comme mon époux, et Tristan
est bien votre neveu, que je sache. C'est à cause de
vous que je lui ai montré de l'affection. Mais les traîtres, les dénonciateurs qui veulent l'éloigner de la
cour vous trompent par leurs racontars. Tristan s'en
va. Dieu fasse qu'ils aient à le regretter ! J'ai donc

1. Le rappel du lien de parenté importe à l'argumentation
d'Yseut, puisqu'elle prétend n'avoir d'affection pour Tristan
qu'en raison de sa parenté avec son mari.
2. En construisant sa justification, Yseut n'oublie pas de nom-
mer les « vrais » coupables, les *losengiers*, les « médisants » for-
mant l'infidèle suite du roi.

parlé à ton neveu hier soir. Il réclama avec anxiété mon intervention auprès de vous en vue d'une réconciliation. Je lui ai dit de partir et de ne plus jamais me demander de venir, car je n'irais plus le voir, et je ne plaiderais pas pour lui. Sire, vous n'allez pas me croire, il n'y a rien eu de plus. Tuez-moi si vous voulez, mais ce sera injuste. Tristan s'en va à cause de votre désaccord. Je sais bien qu'il va traverser la mer. Il m'a dit de payer sa dette pour le logement. Mais j'ai refusé de payer pour lui et de lui parler plus longuement.

« Sire, je vous ai dit la vérité sans faille, et si je vous ai menti, faites-moi couper la tête. Sachez-le, il n'y a pas de doute, j'aurais volontiers acquitté sa dette, si j'en avais eu le courage. Mais je n'ai pas voulu verser seulement quatre besants[1] dans son aumônière à cause des gens de ta maison et de leurs racontars. Il s'en va pauvre, que Dieu soit avec lui ! C'est une mauvaise action que de le chasser ainsi. Mais partout où il ira, Dieu lui sera favorable. » Le roi savait bien qu'elle avait dit vrai. Il avait entendu tout ce qu'ils avaient dit. Il la prend dans ses bras, lui donne cent baisers. Elle pleure, il lui dit de se calmer. Jamais plus il ne les soupçonnera sur une dénonciation des mauvais conseillers. Qu'ils aillent où bon leur semble. Ce qui appartient à Tristan est au roi, et ce qui

---

1. Le besant est originellement une monnaie d'or frappée par les empereurs de Byzance. Indirectement Yseut fait peser sur le roi un grave reproche. Au lieu de faire preuve de largesse, comme il le doit, à l'égard de son vassal, il le laisse pauvre, et le chasse ainsi démuni.

appartient au roi est à Tristan. Il ne croira plus les
gens de Cornouailles¹. Alors le roi raconte à la reine
comment le nain félon Frocin l'avait informé de leur
entretien, et comment il l'avait fait monter dans le
pin pour épier leur rendez-vous ce soir-là². « Sire,
vous étiez donc dans l'arbre ? — Oui, madame, par
saint Martin. Aucune parole ne m'a échappé, grave
ou légère.

« Quand j'ai entendu Tristan rappeler la bataille
que je lui avais fait livrer pour défendre ma cause³,
j'ai été pris de pitié et pour un peu je serais tombé en
bas de l'arbre. Et quand je vous ai entendu rappeler
les souffrances qu'il avait dû endurer en mer, sous
l'effet du venin du dragon⁴, ce dont vous l'avez guéri,
et tout ce que vous avez fait pour lui, quand il vous
a demandé de racheter ses gages, j'en ai éprouvé une
grande peine ; et comme vous n'avez pas voulu le
libérer de sa dette, comme vous n'avez pas voulu
vous rapprocher l'un de l'autre, j'ai été saisi de pitié,

1. De nouveau les habitants de Cornouailles semblent collectivement visés.
2. Ce passage nous permet de reconstituer dans ses grandes
lignes le contenu d'un fragment du roman qui nous manque.
3. Cette bataille doit être le duel avec le Morholt. Vient ensuite
l'allusion à la lutte contre le dragon.
4. L'allusion au dragon ne se présentait pas jusqu'ici dans le
rappel des actions héroïques de Tristan, du moins dans la partie
du texte conservée. D'après Eilhart, le roi d'Irlande avait promis
la main de sa fille à l'homme qui réussirait à tuer un dragon qui
ravageait son pays. Tristan tue le monstre, mais il est brûlé par les
flammes qui sortent de sa bouche, et tombe inanimé. Retrouvé par
Yseut et Brengain, il est guéri. Mais c'est la blessure reçue du
Morholt qui avait lancé Tristan malade dans une errance déses-
pérée sur la mer, jusqu'à son arrivée en Irlande où Yseut le guérit
une première fois.

là-haut, dans l'arbre. J'ai souri doucement, je m'en suis tenu là.

— Sire, voilà qui me fait grand plaisir. Vous le savez bien, maintenant ; nous avions là une belle occasion. S'il m'avait aimé d'un amour fou, cela se serait vu. Mais, ma foi, vous n'avez pas pu le voir s'approcher de moi, si peu que ce soit, ni me manquer de respect, ni me donner des baisers. Maintenant, c'est évident, il ne m'aimait pas d'un amour coupable. Sire, si vous ne nous aviez vus, de vos yeux vus, vous n'auriez pas pu nous croire. — Ma foi non ! répond le roi. Brengain, que Dieu te récompense, va chercher mon neveu à son logis. Et s'il fait telle ou telle objection, et refuse de venir sur ta seule invitation, dis-lui que c'est moi qui lui ordonne de venir me trouver. » Brengain lui répond : « Sire, il me déteste. Il a pourtant bien tort, Dieu le sait bien. Mais il dit que je suis responsable de votre brouille. Il souhaite donc ardemment ma mort. Pourtant j'irai. Peut-être que pour vous il évitera de me maltraiter. Sire, pour Dieu, réconciliez-moi avec lui quand il sera arrivé ici. » Vous entendez ce que dit la maligne ! Elle a bien su embobiner le roi ! Elle joue bien la comédie en se plaignant des mauvais sentiments de Tristan à son égard. « Roi, je vais le chercher, dit Brengain. Réconciliez-moi avec lui, ce sera une bonne action ! » Le roi répond : « Je m'y efforcerai. Va vite remplir cette mission et ramène-le ici. » Tout cela fait rire Yseut, et le roi rit encore plus[1], Brengain se hâte

---

1. Le roi rit volontiers avec les rieurs, sans se rendre compte qu'il fait les frais de la comédie.

vers la porte et sort. Tristan, qui s'était mis tout
contre le mur, a bien entendu leur conversation. Il
embrasse Brengain, et la tenant par le cou il remercie
Dieu, car il va pouvoir désormais rester avec Yseut
autant qu'il voudra. Brengain explique à Tristan[1] :
« Seigneur, là, à l'intérieur de son palais, le roi a longuement parlé de toi et de ta bien-aimée. Il ne t'en
veut plus et tourne sa haine, maintenant, contre ceux
qui te mettent en cause. Il m'a priée de venir te chercher. Je lui ai dit que tu étais en colère contre moi.
Montre bien que tu te fais prier, et que tu ne viens
pas de gaieté de cœur. Si le roi te demande quelque
chose pour moi, fais semblant d'en être contrarié. »
Tristan la prend par le cou et lui donne un baiser. Il
est joyeux de retrouver un bonheur parfait. Ils se
dirigent vers la chambre décorée[2] où se trouvent le
roi et Yseut.

Tristan entre dans la chambre. « Mon neveu, dit le
roi, avance-toi. Renonce à ta rancune contre Brengain
et je renoncerai à la mienne contre toi. — Sire, cher
oncle, écoutez-moi un peu : vous avez vite fait de
vous excuser[3] après m'avoir accusé — ce qui m'a
blessé jusqu'au fond du cœur — d'un tel outrage,
d'une telle trahison ! J'en aurais été damné, et elle

---

1. Bien que Tristan ait tout entendu, Brengain lui rapporte les
propos tenus dans la chambre du roi. La répétition, dans le récit,
des mêmes événements est bien dans la manière de Béroul. Sans
cesse les paroles essaient de saisir une vérité problématique par
une reprise des mêmes données sous une autre forme.
2. La chambre est *painte*, c'est-à-dire que ses murs sont ornés
de peintures.
3. Tristan exploite son succès ; il veut presque des excuses, en
tout cas il cherche à donner au roi mauvaise conscience.

déshonorée. Nous n'y avions pourtant jamais songé, Dieu le sait bien. Mais vous connaissez la haine de celui qui vous a mis ce soupçon incroyable dans la tête. Désormais, choisissez mieux vos conseillers, et ne vous mettez plus en colère contre la reine ni contre moi, qui suis de votre lignage[1]. — Je ne le ferai plus, cher neveu, vous avez ma parole. »

Tristan est donc réconcilié avec le roi. Celui-ci l'a autorisé à rester dans la chambre royale[2] : le voilà heureux. Tristan entre et sort, librement, sans que le roi s'en préoccupe autrement. Hélas ! mon Dieu, qui peut vivre un amour une année ou deux sans le faire découvrir ? Car l'amour ne peut rester caché. De trop nombreux clins d'yeux destinés à l'autre, de trop nombreux rendez-vous, parfois en cachette, mais parfois aussi au vu et au su des gens. En tous lieux, leur désir impatient de se satisfaire leur fait multiplier les rendez-vous.

À la cour il y avait[3] trois barons, les plus perfides que l'on ait jamais vus. Ils avaient fait le serment que, si le roi ne bannissait pas son neveu du pays, ils ne toléreraient plus cette situation, mais se retireraient

1. L'argument familial, qu'encadrent les deux termes *oncle* et *neveu*, et que rappelle le dernier mot, fait écho aux paroles qu'Yseut avait fait entendre près de la fontaine.
2. Que Tristan ait libre accès à la chambre royale n'est peut-être pas la conséquence d'un titre officiel comme celui de chambellan, mais l'effet de l'affection que lui porte le roi.
3. Commence ici, après une transition qui lui sert de prologue, un épisode dont on distingue l'autonomie, avec le signal marquant le début d'un conte : « Il était une fois ». Le chiffre 3, caractérisant les barons hostiles à Tristan, fait penser à une version ancienne et typique du conte.

dans leurs châteaux pour faire la guerre au roi Marc[1]. En effet, peu de temps auparavant, ils ont aperçu dans un jardin, sous un arbre fruitier, la belle Yseut se comportant avec Tristan d'une façon scandaleuse ; ils les ont même vus plusieurs fois couchés tout nus sur le lit du roi. Car quand le roi s'en va chasser dans les bois, Tristan lui dit bien : « Sire, j'y vais aussi. » Mais il ne part pas, et il rejoint Yseut dans sa chambre où ils restent longtemps ensemble. « Nous le lui dirons nous-mêmes. Allons trouver le roi pour le lui dire, que cela nous vaille son affection ou sa haine, et exigeons qu'il bannisse son neveu. » Ils ont pris ensemble cette décision. Ils ont donc parlé au roi Marc, le prenant à part[2] : « Sire, disent-ils, tout va mal. Ton neveu et Yseut s'aiment. N'importe qui peut s'en rendre compte. Quant à nous, nous ne voulons plus le tolérer. » À ces mots le roi pousse un soupir, il baisse la tête vers le sol ; ne sachant que dire, il ne tient pas en place. « Roi, reprennent les trois traîtres, crois-nous, nous ne tolérerons plus cela. Car nous savons bien, c'est la vérité, que tu les laisses commettre leur crime, et que tu es bien au

---

1. La menace des barons n'est pas à prendre à la légère. Non seulement ils retireront au roi un soutien dont il a besoin, parce qu'il est constitutif de l'institution royale à l'époque féodale, mais ils lui feront la guerre, ce qui amènera l'anarchie dans le royaume. S'esquisse ainsi l'alternative dramatique pour le roi Marc : il est pris entre l'intérêt politique et les sentiments personnels, familiaux ou autres.

2. Encore un bref discours avec une sentence générale, une accusation, la preuve et la conclusion : une rhétorique en miniature.

courant de cette étrange affaire. Que vas-tu faire ? Il est temps de prendre une décision ! Si tu ne fais pas partir ton neveu de la cour, de telle façon qu'il n'y remette plus les pieds, nous ne serons plus avec toi, et nous ne te laisserons plus en paix. Nous inviterons nos voisins à déserter ta cour, car la situation est devenue intolérable. Telles sont nos conditions. Et maintenant dis-nous ce que tu décides.

— Seigneurs[1], vous êtes mes vassaux. Par Dieu, je trouve très surprenant que mon neveu cherche mon déshonneur. Il a eu une curieuse façon de me servir. Conseillez-moi, je vous le demande. C'est votre devoir de vassaux que de me donner conseil, car je ne tiens pas à me priver de vos services. Vous le savez bien, je n'ai que faire des grands airs. — Sire, faites donc venir le nain qui devine tout[2]. Assurément il est versé en toute sorte de sciences ; il n'y a qu'à le consulter. Convoquez le nain, et qu'ensuite on établisse un plan d'action. » Et il n'a pas tardé à venir — malheur à lui ! —, tout bossu qu'il est[3], un des barons l'a accueilli en l'embrassant, et le roi lui expose le problème.

1. Le roi cède rapidement et, oubliant ses promesses, et ses menaces, va faire confiance au nain qu'il voulait faire mourir. Ce brusque revirement, tout en confirmant l'image peu sympathique que le narrateur veut alors donner du roi, est conforme à l'esthétique ancienne des contes, souvent fondée sur des contrastes abrupts.
2. Le retour du nain signifiera le recours à la magie.
3. La bosse est le signe révélant un savoir maléfique, en même temps qu'elle souligne la difformité du nain.

Hélas ! écoutez maintenant la ruse traîtresse ima-
ginée par le nain Frocin pour entraîner le roi. Maudits soient tous ces devins ! Qui a jamais eu une idée
aussi perfide que celle de ce nain — que Dieu le
maudisse ? « Dis à ton neveu qu'il doit aller de bon
matin trouver le roi Arthur à Carlisle[1], la ville forti-
fiée : il doit porter à Arthur, au grand galop, une lettre écrite sur parchemin, scellée par un cachet de
cire[2]. Roi, Tristan couche devant ton lit[3]. Je sais qu'il
va d'urgence vouloir parler ce soir à la reine pour lui
dire qu'il doit aller là-bas. Roi, sors de la chambre à
l'heure du premier sommeil. Je te jure, par Dieu et la
religion de Rome, que si Tristan l'aime follement il
viendra lui parler. Et s'il y vient sans que je le sache,
et sans que toi ni tes hommes puissent le constater
sans doute possible, alors fais-moi mettre à mort. On
va les prendre en flagrant délit, sans aucun recours.
Roi, laisse-moi arranger cette affaire et la faire abou-
tir comme je l'entends, mais cache à Tristan sa mission jusqu'à l'heure du coucher. » Le roi répond :
« Ami, ce sera fait. » Ils se séparent et chacun s'en va
de son côté.

1. Carduel, qu'on identifie avec Carlisle, fait éclater le cadre géo-
graphique de cette histoire. Ce serait un très long voyage pour
Tristan, puisqu'il lui faudrait gagner le nord de l'Angleterre.
2. Les allusions aux lettres et à l'écriture sont importantes dans
ce texte. Ici nous avons affaire à une lettre close, et scellée ; mais
il s'agit d'un faux message.
3. Tristan, comme Périnis, chambellan de la reine, a son lit
dans la chambre du roi. Il n'a donc pas seulement l'autorisation
d'entrer, et toute la mise en scène qui va suivre suppose cette
cohabitation qui nous paraît aujourd'hui bien étrange.

Le nain était plein de malice[1], il a préparé un piège
redoutable. En effet, il est allé chez un boulanger, il
y a acheté pour quatre deniers de farine qu'il a mise
dans le pli de son vêtement. Qui a jamais imaginé
une telle trahison ? Le soir, quand le roi eut pris son
repas, tous se couchèrent dans la grande salle. Tristan accompagne le roi qui, lui, va coucher dans sa
chambre : « Cher neveu, dit-il, j'ai un service à vous
demander, vous allez faire ce que je vais vous dire ;
c'est un ordre ! Vous devrez vous rendre à cheval
chez le roi Arthur[2], à Carlisle. Faites-lui ouvrir cette
lettre. Mon neveu, saluez-le de ma part, mais ne
séjournez pas chez lui plus de la journée. » En
apprenant la mission qui lui est ordonnée, Tristan
répond qu'il ira porter le message. « Roi, j'irai de
grand matin. — Oui, faites cela avant la fin de la
nuit ! » Tristan est dans un grand embarras. Entre
son lit et celui du roi il y avait bien une longueur de
lance. Dans son affolement il se dit qu'il parlera[3] à
la reine, si possible, quand son oncle sera endormi.
Dieu ! quelle maladresse ! C'est trop dangereux !

La nuit, le nain est entré dans la chambre. Écoutez
comment il profite de l'obscurité. Il répand de la
farine dans l'espace qui sépare les deux lits, pour

---

1. Voici donc en action la ruse mentionnée plus haut. Elle ne
fait appel à aucun pouvoir surnaturel, mais à de la farine, symbole il est vrai de l'artifice et du déguisement.

2. Nous voyons apparaître le roi Arthur à l'horizon. Il jouera
un rôle important dans la deuxième partie du roman.

3. *Parler* peut avoir un sens érotique. Mais pour le moment
Tristan envisage de rejoindre la reine pendant le sommeil du roi,
ce qui exclut bien des choses.

que les pas laissent des traces, si l'un des amants va retrouver l'autre pendant la nuit : la farine gardera l'empreinte des pas. Mais Tristan a vu le nain s'attarder de ce côté tout en éparpillant de la farine. Il se demande ce que cela signifie, car ce manège sort de ses habitudes. Puis il se dit : « Il pourrait bien répandre la farine à cet endroit pour voir, à la trace, si l'un de nous a rejoint l'autre. Ce serait donc une folie que d'y aller, car il pourrait bien le voir. » Le jour précédent, Tristan chassant en forêt avait été blessé à la jambe par un grand sanglier, et il souffrait beaucoup[1]. La plaie avait abondamment saigné. Le pansement s'était défait, pour son malheur. Tristan ne dormait pas, vous pensez ! Le roi se lève à minuit et quitte la chambre. Le nain part avec lui.

À l'intérieur de la chambre on ne voyait pas clair, car il n'y avait ni chandelle ni lampe allumée. Tristan se lève, debout sur son lit. Dieu ! pourquoi a-t-il fallu que cela arrive ? Écoutez donc ! Les pieds joints, il calcule son élan, saute et atterrit sur le lit du roi. Mais sa blessure qui s'est rouverte saigne abondamment. Le sang qui s'en écoule laisse sa marque sur les draps[2]. La plaie saigne sans qu'il s'en rende

---

1. La blessure par un sanglier est un motif de conte. Ici elle prépare logiquement le motif du sang sur les draps et sur la farine.
2. Comme il y aura aussi du sang sur la farine, malgré la précaution de Tristan, les taches de sang sur les draps font double emploi ; mais la valeur symbolique se superpose ainsi à l'indice. Pour le symbole, on pense aussi aux gouttes de sang sur la neige, dans *Perceval ou le Conte du Graal* (« Folio classique », p. 110-111), comme aux taches de sang sur les draps de Guenièvre, dans *Lancelot ou le Chevalier de la Charrette* (« Folio classique », p. 130).

compte car il est tout à son plaisir. La tache de sang
s'élargit. Le nain qui est dehors en train d'observer
la lune y voit que les deux amants sont réunis. Il en
tressaille de joie et dit au roi : « Si vous ne pouvez
pas les prendre sur le fait, allez, faites-moi pendre ! »

Il y avait là les trois traîtres qui avaient comploté
ce mauvais coup. Le roi revient. Tristan l'entend, se
lève tout effrayé et aussitôt refait un bond pour s'en
aller du lit. L'effort qu'il fait pour sauter rouvre sa
blessure et le sang tombe — quel malheur ! — sur la
farine. Ah ! Dieu, quel dommage que la reine n'ait pas
retiré les draps du lit[1] ! Cette nuit-là ils n'auraient
pas été pris en faute. Si elle y avait pensé, elle aurait
bien défendu son honneur. Mais il fallut ensuite un
grand miracle pour les sauver, comme il plut à Dieu[2].
Le roi revient dans sa chambre. Le nain, qui tient la
chandelle, arrive avec lui. Tristan fait semblant de
dormir avec un ronflement sonore. Il est resté seul
dans la chambre, à l'exception de Périnis[3] qui dormait
au pied de son lit, sans bouger ; quant à la reine, elle
était couchée dans son lit. Sur la farine, le sang,
encore chaud, était bien visible. Le roi aperçut le sang
sur le lit. Il faisait une tache vermeille sur les draps
blancs, de même que sur la farine où le saut avait

---

1. Tous ces détails relèvent d'un style concret, familier, jusque
dans les moments les plus dramatiques.
2. Tout en développant des regrets pour stimuler la pitié du
public, le narrateur le rassure en annonçant que Dieu viendra au
secours des amants. L'anxiété du conte ne va pas jusqu'à l'angoisse, mais se cultive sur fond d'espérance.
3. Périnis est le page d'Yseut.

laissé la trace des gouttes de sang. Le roi menace
Tristan. Les trois barons[1], entrés dans la chambre,
maîtrisent dans son lit Tristan, avec fureur, car ils
l'avaient pris en haine, jaloux de ses prouesses ; ils se
saisissent aussi de la reine, qu'ils insultent et mena-
cent gravement, en disant qu'ils ne manqueront pas
de la faire passer en jugement. Ils aperçoivent la
jambe qui saigne. « Voilà un indice probant : vous
êtes pris en flagrant délit[2], dit le roi, vous aurez du
mal à vous disculper. À coup sûr, demain vous serez
exécuté, Tristan, j'en suis certain. » Tristan l'implore :
« Sire, pitié ! Pour Dieu qui souffrit la Passion, sire,
ayez pitié de nous ! » Les traîtres disent au roi :
« Sire, c'est le moment de vous venger. — Mon cher
oncle, peu m'importe mon sort. Je sais bien que je
suis près du saut fatal. Si je n'avais pas eu peur de
vous irriter, cet exploit leur aurait déjà coûté très cher.
Ils n'auraient aucune chance de mettre leurs mains
sur moi. Mais je n'ai rien contre vous. Aussi, quelles
qu'en soient les conséquences, vous ferez de moi ce
qu'il vous plaira, et je m'en remets à vous. Mais, sire,
pour Dieu, ayez pitié de la reine ! » Et Tristan s'in-

---

1. Les barons prennent la situation en main. C'est la prouesse,
donc la vertu héroïque de Tristan, qu'ils jalousent. Il y a là un
motif, pour leur haine, qui se cache sous des prétentions poli-
tiques ou morales. À l'égard de la reine, ils n'ont que mépris, car
elle n'est à leurs yeux qu'une femme coupable, complice d'un
crime politique qu'il s'agit de prouver.

2. Pour se disculper, l'accusé pourrait appuyer sa dénégation
sur un duel judiciaire, survivance du jugement de Dieu. Mais ici
le roi lui refuse ce recours en raison du flagrant délit qui permet de condamner l'accusé sans lui laisser de possibilité de se
défendre.

cline devant lui. « Car il n'y a personne, en ta compagnie, qui puisse m'accuser faussement d'avoir eu une liaison amoureuse avec la reine sans me trouver prêt au combat judiciaire sur cette accusation[1]. Sire, pitié pour elle, pour l'amour de Dieu ! » Les trois traîtres qui se trouvent dans la chambre ont saisi et ligoté Tristan. Ils font de même avec la reine. C'est un déchaînement de haine. Si Tristan avait prévu qu'on ne lui laisserait pas la possibilité de se disculper par une épreuve judiciaire, il se serait fait hacher sur place plutôt que de se laisser ligoter ainsi qu'Yseut. Mais il avait assez confiance en Dieu pour croire que, s'il obtenait une épreuve judiciaire, personne n'oserait prendre les armes pour combattre avec lui. Il pensait bien pouvoir se défendre en champ clos. C'est pour cela qu'il n'avait pas voulu manquer de respect au roi par quelque action intempestive. Mais s'il avait su ce qu'il en était, et ce qui devait lui arriver, il les aurait tués tous les trois malgré la protection du roi. Ah ! Dieu, pourquoi ne les a-t-il pas tués ? L'affaire aurait mieux tourné pour lui.

Le bruit court dans la ville qu'on a surpris ensemble Tristan et la reine Yseut, et que le roi veut les faire mettre à mort. Grands personnages et petites gens commencent à pleurer, et on échange ces

---

1. Il est surprenant que Tristan, pris en flagrant délit, se montre sûr de gagner un duel judiciaire. Fort de sa supériorité au combat singulier, il propose de se faire le champion de la reine, pour la disculper, elle, sinon lui. C'est aussi ce que fait Lancelot, pour disculper Guenièvre, après la découverte des taches de sang sur ses draps (« Folio classique », p. 133-136).

plaintes répétées[1] : « Hélas ! nous avons bien de quoi pleurer ! Ah ! Tristan, tu es si courageux ! Quel dommage que ces canailles vous aient fait surprendre traîtreusement ! Ah ! reine noble et honorée, en quel pays verra-t-on naître une fille de roi de ta valeur ? Ah ! nain, c'est le travail de ta voyance ! Puisse-t-il ne jamais voir le royaume de Dieu, celui qui pourra rencontrer le nain sans le clouer sur place d'un coup d'épée à travers le corps ! Ah ! Tristan, quelle douleur nous éprouverons pour vous, très cher ami, quand vous serez ainsi mis au supplice ! Hélas ! quel deuil nous ferons de votre mort ! Quand le Morholt a débarqué ici pour nous prendre nos enfants, la peur rendait tous les barons muets[2] ; pas un seul ne s'est montré assez courageux pour oser prendre les armes contre lui. Mais vous, vous avez affronté le combat pour nous tous, habitants de la Cornouailles, et vous avez tué le Morholt. Il vous blessa d'un coup de son javelot, et vous avez failli en mourir. Nous ne devrions pas permettre, ici, que vous soyez mis à mort. » Le bruit et la rumeur s'amplifient. Tout le monde se précipite au palais. Mais le roi est plein d'une fureur mauvaise. Aucun baron n'est assez courageux pour oser s'adresser au roi et lui demander de pardonner cette faute. Le jour se lève, la nuit s'en va. Le roi

1. Commence ici un discours collectif, équivalent du chœur de la tragédie antique. La popularité des deux amants reflète l'intention profonde du récit romanesque, dont la rêverie prend le parti du désir amoureux contre l'autorité politique.

2. Voici un nouveau rappel des exploits héroïques de Tristan.

donne l'ordre de ramasser des épines et de faire creu-
ser une fosse. Impérieux, il veut que l'on commence
tout de suite à ramasser des sarments et qu'on en
fasse un tas avec les épines blanches et leurs racines
noires. C'était la première heure du jour[1]. On crie
par tout le royaume une proclamation convoquant
tout le monde à la cour[2]. Chacun y arrive au plus vite.
Tout le peuple de Cornouailles se trouve rassemblé.
Cela fait beaucoup de tapage et de chahut : tout le
monde se lamente, sauf le nain de Tintagel.

Le roi leur annonce et leur explique qu'il veut
faire brûler sur un bûcher son neveu et sa femme.
Tout le peuple du royaume se récrie : « Roi, ce serait
une trop horrible faute que de ne pas d'abord les
faire passer en jugement. Ce n'est qu'après qu'on
peut les mettre à mort. Sire, pitié ! » Le roi en colère
leur a répondu : « Par le seigneur qui a créé le
monde et toutes les choses qui s'y trouvent, dussé-je
y perdre mon royaume, je ne manquerai pas de les
faire brûler sur un bûcher, même si je dois un jour
rendre des comptes. Et maintenant, laissez-moi en
paix. » Il donne l'ordre d'allumer le feu et d'amener
son neveu, car il veut le faire brûler le premier. On
va le chercher, le roi l'attend.

On le ramène bientôt, solidement maintenu.
Mon Dieu, comme ces gens le maltraitent ! Il a beau

1. C'est vers 6 heures du matin qu'on célèbre le premier office
du jour (on compte les heures d'après les offices religieux).
2. Cette convocation générale de tout le royaume suggère bien
un espace limité comme celui défini, dans un coin de Cornouailles,
par la région de Lancien (voir p. 73, n. 2).

pleurer, cela ne sert à rien. Yseut aussi pleure, mais c'est presque de rage. « Tristan, fait-elle, quel dommage que vous soyez ainsi honteusement ligoté ! Si je devais mourir et que vous soyez sauf, ce serait avec joie, cher ami, car la vengeance ne tarderait pas ! »

Écoutez, seigneurs, et sachez combien Dieu est plein de miséricorde[1]. Il ne veut pas la mort du pécheur. Il avait entendu les clameurs, les plaintes du pauvre peuple ému par le supplice qui attendait Tristan et Yseut. Le long du chemin suivi par le cortège, il y a, sur une hauteur, une chapelle ; elle est bâtie au bord d'une côte rocheuse : elle surplombe la mer, du côté du vent du nord. La partie que l'on appelle le chœur se trouve sur un escarpement ; au-delà, il n'y a plus que la falaise. La pente est pleine de rochers accumulés. Même un écureuil, s'il sautait de là-haut, n'en sortirait pas vivant. Sous la voûte de la tour il y a un vitrail de couleur pourpre, œuvre d'un saint homme. Tristan s'adresse aux hommes de son escorte : « Seigneurs, voici une chapelle. Pour Dieu, laissez-moi y entrer. J'approche du terme de ma vie. Je prierai Dieu qu'il ait pitié de moi, car je suis coupable envers lui de trop d'offenses. Seigneurs, il n'y a que cette entrée ; je vois que chacun d'entre vous a une épée. Vous savez bien que je ne peux sortir sans repasser parmi vous. Quand j'aurai prié Dieu, je reviendrai donc vers vous. »

1. L'intervention du narrateur est ici fortement marquée : elle annonce l'aventure merveilleuse et l'aide d'une Providence indulgente et miséricordieuse, sensible à la plainte et à la prière du petit peuple.

Alors l'un d'eux dit à son compagnon : « Nous pouvons bien le laisser aller. » Les gardes lui ôtent ses liens, et il entre dans la chapelle. Tristan ne perd pas son temps. Il se dirige vers la fenêtre, derrière l'autel ; il la tire à lui de sa main droite et saute de l'autre côté par l'ouverture. Il préfère sauter plutôt que d'être brûlé sous les yeux de la foule. Seigneurs, il y avait une large corniche qui coupait la pente rocheuse. Tristan y atterrit en souplesse : le vent, s'engouffrant dans ses vêtements, l'empêche de s'écraser en bas. Les gens de Cornouailles appellent encore cette pierre le Saut-Tristan[1].

La chapelle était pleine de monde. Tristan s'élance pour un deuxième saut. La plage était molle ; il tombe accroupi sur le sable. Les autres l'attendent toujours devant l'église ; en vain, car Tristan est parti. Dieu lui a accordé une belle faveur. Il se sauve à grandes enjambées le long du rivage. Il entend bien le crépitement du feu et n'a pas envie de revenir sur ses pas. On ne saurait courir plus vite qu'il ne fait.

Maintenant, écoutez ce que fait Governal[2]. L'épée au côté, il est sorti à cheval de la ville. Il sait bien que si on le rattrapait on le ferait brûler à cause de son seigneur. C'est cette peur qui le pousse à fuir. Mais celui qui fut son maître d'armes a beaucoup d'affection pour Tristan, et il n'a pas voulu abandonner l'épée de celui-ci ; il l'a prise là où elle était

---

1. Nous avons donc affaire, en ce passage du roman, à une légende contée pour expliquer un toponyme, un nom de lieu.
2. Cette transition, de style oral, marque d'une façon rudimentaire le recours à la technique de l'entrelacement.

restée[1] et il l'apporte avec la sienne. Tristan aperçoit
son maître, et il l'appelle, car il l'a bien reconnu.
L'autre arrive tout joyeux et, à son arrivée, Tristan
manifeste aussi sa joie : « Maître, Dieu vient d'avoir
pitié de moi. Je me suis échappé et me voici. Hélas !
malheureux que je suis, à quoi bon ? Puisque j'ai
perdu Yseut, pauvre de moi, il ne me sert à rien
d'avoir réussi l'exploit d'aujourd'hui. Pourquoi ne
me suis-je pas tué ? J'en arriverais presque à le regretter. Je me suis échappé, et toi, Yseut, on te brûle !
Vraiment, il ne m'a servi à rien de m'échapper. On
la brûle pour moi ; je mourrai pour elle[2]. »

Governal lui répond : « Pour Dieu, seigneur,
remettez-vous, chassez ce désespoir. Voici un terrain
couvert de broussailles et entouré d'un fossé. Seigneur, cachons-nous là. Il y a beaucoup de gens qui
passent par ici. Vous entendrez des nouvelles d'Yseut.
Et si on la brûle, ne montez en selle que pour vous
dépêcher de la venger ! On vous aidera efficacement.
Par Jésus le fils de Marie, je ne coucherai dans aucune
maison tant que les trois brigands félons qui ont causé
la perte d'Yseut, votre amie, n'auront pas été punis

---

1. Tristan est bien le seigneur de Governal, mais celui-ci est
son maître d'armes. En fait il lui sert d'écuyer. Le renseignement
sur l'épée est utile — car il faut comprendre comment Tristan va
pouvoir se battre —, mais insuffisant, car nous ignorons quand il
s'est séparé de son arme, le reste de son équipement ayant été
laissé en gage.
2. Belle formule en chiasme, dont la symétrie se retrouve chez
Marie de France dans le célèbre couplet : *Bele amie, si est de
nus : / Ne vus sanz mei, ne mei sanz vus* (*Le Lai du Chèvrefeuille*,
v. 77-78, « Folio classique », p. 322.)

de mort. Si vous-même, cher seigneur, étiez tué sans
en avoir pu tirer vengeance, j'aurais perdu à tout
jamais le bonheur. » Tristan répond : « Excusez-moi,
bon maître, mais je n'ai pas mon épée ! — Mais si,
car je l'ai apportée. » Alors Tristan répond : « Maître, tout va donc très bien. Je n'ai désormais plus
rien à craindre, sinon Dieu. — J'ai encore autre
chose sous ma tunique, qui vous sera utile et agréable : une petite cotte de mailles, résistante et légère,
dont vous pourrez avoir grand besoin[1]. — Mon
Dieu ! dit Tristan, donnez-la-moi ! Par ce Dieu en
qui je crois, je veux bien être mis en pièces, si, dès
lors que j'arrive à temps au bûcher, avant que mon
amie n'y soit livrée, je ne tue pas ceux qui la tiennent
en leur pouvoir. » Governal dit : « Pas de précipi-
tation[2] ! Dieu peut te donner un meilleur moyen de
te venger, sans rencontrer les difficultés que tu pourrais avoir maintenant. Pour le moment tu ne peux
rien faire, car le roi est en colère contre toi. Avec lui,
il a tous les bourgeois et les gens de la cité. Il leur a
donné ordre, à tous, de te prendre, s'ils tiennent à
garder la vie, à la première occasion ; celui qui y man-
querait serait pendu. Chacun préfère sa vie à celle
d'un autre[3]. Si l'on criait sur toi l'hallali, même

1. Governal continue à faire son devoir de « maître » pré-
voyant, et d'écuyer, en fournissant à Tristan une cotte de mailles
d'un modèle léger, car les plus lourdes ne peuvent être trans-
portées aussi discrètement.
2. La sagesse du conseiller s'oppose à la témérité du chevalier.
3. La maxime est de portée générale. Elle fait comprendre à
Tristan qu'il ne peut pas compter sur la complicité active de la
population, quelle que soit sa popularité.

quelqu'un qui voudrait bien te délivrer n'oserait le faire, ni même y songer. » Tristan pleure, montrant sa douleur. Malgré tous les gens de Tintagel, dût-on le mettre en pièces, éparpiller ses morceaux, il n'aurait pu renoncer à y aller si son maître n'avait été là pour l'en empêcher[1].

Un messager arrive en courant dans la chambre où se trouve Yseut, et lui dit de ne pas pleurer, car son ami s'est enfui. « Dieu soit loué ! dit-elle. Désormais, peu m'importe s'ils me tuent, me lient ou me délient. » Cependant le roi l'avait fait ligoter, et sur l'ordre des trois barons on lui avait serré les poignets si fort que le sang jaillissait de tous ses doigts. « Par Dieu, fait-elle, si jamais...... Puisque les traîtres, les jaloux qui auraient dû garder mon ami l'ont laissé échapper, Dieu merci, on ne devrait pas me maltraiter ainsi. Je sais bien que le nain jaloux et les traîtres, les envieux dont les conseils ont causé ma perte, devront le payer un jour. Puisse tout cela mal finir pour eux ! »

Seigneurs[2], le roi reçoit la nouvelle que son neveu s'est échappé par la chapelle, lui qu'il devait faire brûler. Il en devient tout noir de colère, et il ne peut plus contrôler sa rage[3]. Furieux, il demande qu'on

---

1. Par cette dernière déclaration, qui relève du style exagéré, outrancier, des chansons de geste, le narrateur fait bien comprendre que le héros n'est prudent qu'à contrecœur.
2. L'intervention du narrateur signale un nouveau changement de scène. Cette fois la nouvelle est rapportée au roi, dans la grande salle, où il convoque la reine ligotée, avant de l'envoyer au bûcher.
3. La colère semble être chez le roi un trait de caractère.

fasse venir Yseut. La voilà qui sort de la grande salle.
La rumeur en court parmi les rues. Quand les gens
voient Yseut ainsi ligotée, odieux spectacle, ils sont
tous frappés de terreur. Il fallait entendre le deuil
que l'on menait pour elle et les appels à la miséricorde divine ! « Ah ! noble reine honorée de tous,
quel deuil ont infligé à ce pays ceux qui, par leurs
propos, ont provoqué ce malheur ! Ils n'auront pas
besoin d'une grande bourse pour mettre leur salaire.
Puissent-ils en récolter une bonne punition ! »

On a amené la reine jusqu'au bûcher où brûlent
déjà les fagots d'épines. Dinas, le seigneur de Dinan[1],
qui aimait bien Tristan, se laisse choir aux pieds du
roi : « Sire, dit-il, écoute-moi[2]. Je t'ai servi bien longtemps sans aucune vilenie, en toute loyauté. On ne
trouvera plus personne en ce royaume, pauvre orphe-
lin ou vieille femme, qui me donnera, pour les fonctions de sénéchal que j'ai remplies pour vous toute
ma vie, la moindre petite pièce de monnaie. Sire,
pitié pour la reine ! Vous voulez, sans jugement, lui
infliger le supplice du feu. Ce n'est pas juste, car elle
n'a pas été reconnue coupable. Ce sera un grand
malheur que de la faire brûler vive.

« Sire, Tristan s'est échappé. Il connaît parfaitement les plaines, les bois, les passages, les gués, et

1. Dinas est le sénéchal du roi Marc. On nomme *Dinan* son
lieu d'origine. Il pourrait s'agir aussi de Caer Lidan, qui se trouve
en Cornouailles, à la limite du domaine du Morroi.
2. Le sénéchal qui, par ses fonctions administratives, est com-
pétent en matière de justice, transforme en arguments juridiques
les plaintes de la foule. Mais les arguments ne sont pas faits pour
toucher le roi Marc : ils s'adressent surtout au public du conteur.

c'est un homme redoutable. Vous êtes son oncle, il
est votre neveu. Il ne vous ferait aucun mal. Mais si
vos barons venaient à tomber entre ses mains et qu'il
leur fasse subir un mauvais sort, votre royaume s'en
trouverait encore dévasté. Sire, je ne veux pas le dis-
simuler. Si un seul de mes écuyers était tué ou brûlé
à cause de moi, croyez-le bien, le coupable, fût-il roi
de sept pays, aurait à les engager tous les sept dans la
guerre, et cela ne m'empêcherait pas d'en tirer vengeance. Pensez-vous que la mort d'une femme aussi
noble, qu'il a amenée ici d'un si lointain royaume,
le laisserait indifférent ? Dites plutôt qu'il en résul-
tera un affrontement terrible. Roi, remettez-la-moi
en échange des services que je vous ai rendus[1]. »

Les trois responsables de cette affaire sont deve-
nus muets et sourds, car ils savent bien que Tristan
court en liberté, et ils ont très peur qu'il ne les guette.
Le roi a pris Dinas par la main et, en colère, il jure par
saint Thomas[2] qu'il ne renoncera pas à se faire justice ni à livrer Yseut aux flammes. Dinas, en l'entendant, éprouve une grande douleur. Il est accablé.
Jamais il ne pourra accepter que la reine soit mise à
mort. Il se lève, gardant la tête inclinée, et dit : « Roi,
je regagne Dinan ; au nom du seigneur qui créa
Adam, je ne saurais la voir brûler pour tout l'or du
monde, ni pour toutes les richesses jamais possédées

1. En dehors de tout problème juridique ou politique, Dinas
demande finalement la grâce pour Yseut comme un don, en
récompense de ses propres services.
2. Pourquoi invoquer saint Thomas dans un mouvement de
colère ? On ne peut s'empêcher de penser à Thomas Becket,
canonisé en 1173.

par les plus fortunés des hommes depuis l'apogée de
Rome. » Alors il monte sur son destrier et s'en va, la
tête basse, triste et morne.

Yseut est conduite au bûcher[1], entourée de gens
qui poussent des cris et des clameurs, maudissant les
traîtres de l'entourage royal. Les larmes coulent sur
son visage. La dame portait une tunique de soie
grise, vêtement étroit, cousu d'un fil d'or, à petits
points. Ses cheveux tombaient jusqu'à ses pieds. Ils
étaient tressés avec un filet d'or. Au spectacle de son
corps ainsi traité, il aurait fallu avoir le cœur cruel
pour ne pas être saisi de pitié pour elle. Ses bras
étaient étroitement liés.

Il y avait à Lancien[2] un lépreux : on l'appelait
Yvain[3]. Il était étrangement déformé par la maladie.
Il était accouru voir ce supplice, et il avait avec lui
au moins une centaine de compagnons avec leurs
béquilles ou leurs bâtons. Jamais on n'avait vu des
gens aussi laids, bossus, difformes. Chacun d'eux
tenait sa crécelle[4]. Ils crient au roi de leur voix

1. La scène où l'on voit Yseut conduite au bûcher nous vaut
un beau portrait, fait pour attendrir à l'idée de la mort horrible
qui attend ce beau corps destiné aux flammes, fantasme bientôt
remplacé par celui de la prostitution aux lépreux. Brûlure du désir,
brûlure du bûcher, brûlure de la maladie : nous avons là une série
de motifs cohérents.
2. On commence l'épisode des lépreux dans le style du conte,
ou plutôt de la nouvelle. Lancien est le nom d'un manoir de Cornouailles, au nord de Fowey.
3. Cet Yvain n'a évidemment rien à voir avec le héros des romans arthuriens.
4. La fonction de la crécelle, dit-on, est de prévenir de l'arrivée
des lépreux. Sans doute, mais elle apparente aussi leur troupe aux
défilés carnavalesques, et par conséquent les situe dans cette contre-
société qui joue un rôle essentiel dans la littérature populaire.

rauque : « Sire, tu veux te faire justice en faisant brûler ta femme de cette façon. C'est formidable ! Mais,
si je ne me trompe, le châtiment ne va pas durer
longtemps. Ce grand feu aura vite fait de la réduire
en cendres bientôt dispersées par le vent. Le feu tombera. Avec cette braise le châtiment s'éteindra. Mais
si vous m'en croyez, vous ferez d'elle telle justice que
vous lui laisserez la vie, mais sans honneur, et qu'elle
préférera être morte ; personne n'en entendrait parler
sans avoir pour vous plus de respect. Roi, accepterais-
tu cette solution ? » Le roi a entendu Yvain ; il lui
répond : « Si tu me dis comment faire, à coup sûr,
pour qu'elle vive dans l'ignominie, je t'en saurai gré,
sache-le bien, et si tu veux, paie-toi avec mon argent.
Si l'on m'indique un châtiment de cette sorte, si dou-
loureux, si cruel, on est sûr, par Dieu notre Seigneur,
à condition d'avoir imaginé ce qu'il y a de pire,
d'avoir ma reconnaissance pour toujours. » Yvain
répond : « Je vais te dire mon idée, en deux mots[1].
Tu vois, j'ai ici une centaine de compagnons. Livre-
nous Yseut, nous nous la partagerons. Jamais dame
n'aura connu de pire fin. Sire, il y a en nous une si
grande ardeur qu'aucune dame au monde ne pourrait
supporter de partager notre vie un seul jour. Nos

---

1. Commençant son discours, Yvain annonce qu'il sera bref :
or c'est un des plus longs monologues du texte. Le passage est
d'ailleurs intéressant, comme document, et aussi comme obsession.
Il y a confusion de la brûlure du désir avec celle de la maladie.
Ce n'est pas une invention de Béroul, car la pensée scientifique
de l'époque non seulement superpose les deux idées, mais va
jusqu'à susciter, à propos des lépreux, la peur de la maladie vénérienne mêlant parfois la notion de péché au dégoût de la sexualité féminine.

vêtements nous collent à la peau. Elle vivait avec toi
dans les honneurs, le luxe, les fourrures, les fêtes.
Elle a appris à déguster les bons vins dans de grands
palais de marbre gris. Livrez-la-nous, à nous, lépreux.
Quand elle verra nos petites huttes, quand elle recevra sa petite écuelle[1], quand elle sera obligée de coucher avec nous (sire, au lieu de tes somptueux repas,
elle aura ces déchets, ces morceaux que l'on nous jette
devant notre porte par charité au nom du Seigneur
du ciel), quand elle verra notre cour à nous, alors
elle tombera dans un tel désespoir qu'elle préférerait
mourir plutôt que de vivre ainsi. Alors Yseut, cette
vipère[2], comprendra qu'elle a mal agi, et se dira qu'il
aurait mieux valu avoir été brûlée sur un bûcher. »

Le roi l'écoute et reste debout longtemps sans
bouger. Il a bien compris ce que veut dire Yvain. Il
court à Yseut, la prend par la main. Elle crie : « Sire,
pitié ! Plutôt que de me livrer à lui, brûle-moi sur
place. » Mais le roi la lui livre, et l'autre la prend. Il
y avait bien là une centaine de lépreux, qui s'attrou-
pent autour d'elle. À entendre ses cris, à entendre
ses plaintes, chacun est pris de pitié. Mais les autres
peuvent bien le déplorer, Yvain, lui, en est heureux.
Yseut s'en va, c'est Yvain qui l'emmène, là-bas, sur

1. Il y a là, peut-être, une allusion à une coutume qui nous
échappe.
2. On voit que s'attachent au personnage d'Yseut bien des
fantasmes dont les légendes du Moyen Âge chargent la féminité. Les lépreux, victimes d'une malédiction qui empoisonne
leur corps, revendiquent Yseut comme appartenant au même
monde. N'oublions pas qu'elle est experte en venins, puisqu'elle a
guéri Tristan de sa blessure empoisonnée, comme de la brûlure
du serpent.

le sable. La troupe des lépreux, chacun s'aidant de sa béquille, va tout droit vers l'embuscade où Tristan s'est installé pour les attendre. Governal lui crie à voix haute : « Fils, que vas-tu faire ? Voici ton amie. — Dieu ! dit Tristan, quelle chance ! Ah ! Yseut, ma beauté ; comme vous deviez mourir pour moi, moi je devais mourir pour vous[1] ! Si ces gens qui vous tiennent en leur pouvoir, qu'ils le sachent bien tous, ne vous relâchent pas tout de suite, ils seront nombreux à le regretter. » Il éperonne son cheval[2] et bondit hors du buisson. À haute voix, aussi fort qu'il peut, il crie : « Yvain, ça suffit comme ça ! Lâchez-la tout de suite, ou je vous fais voler la tête avec cette épée. » Yvain commence à retirer sa cape et crie bien fort : « À vos béquilles ! On va voir maintenant qui sera des nôtres. » Vous auriez vu ces lépreux, le souffle court, ôter capes et manteaux ! Chacun brandit sa béquille, l'un le menace, l'autre l'insulte. Mais Tristan ne veut pas les toucher ni les frapper, ni même les invectiver. Governal est venu en renfort. En sa main il tient un bâton de chêne vert ; il en frappe Yvain qui tient encore Yseut. Le sang jaillit et coule jusqu'à ses pieds. Le maître rend un fier service à Tristan, car il saisit Yseut par la main droite. Les conteurs disent qu'ils ont fait tuer Yvain ; ils sont vulgaires ; ils ne connaissent pas bien cette histoire. Béroul s'en souvient mieux, car Tristan est bien trop

1. Encore un rappel de la réciprocité et de la symétrie du destin des amants.
2. Tristan a donc un cheval ! À moins qu'il n'ait pris celui de Governal, qui viendra donc l'aider à pied, un bâton à la main.

noble et courtois pour occire des gens de cette sorte[1].
Tristan s'en va avec la reine. Ils quittent la plaine pour
le bocage, accompagnés de Governal. Yseut est heureuse, elle ne souffre plus. Ils arrivent dans la forêt
du Morroi[2] et bivouaquent sur une colline. Maintenant Tristan est en sûreté, autant que s'ils se trouvaient
dans un château entouré de murailles[3]. Tristan était
un excellent archer ; il savait très bien tirer à l'arc[4].
Governal en avait pris un des mains d'un forestier,
ainsi que deux flèches empennées et barbelées, et il
les lui avait apportées.

Tristan prend l'arc et va dans les bois ; il aperçoit
un chevreuil, prépare sa flèche et tire. Il l'atteint au
flanc droit, de plein fouet. L'animal pousse un cri,
fait un bond et retombe à terre. Tristan le ramasse et
revient avec. Il construit une hutte : de son épée, il
tranche les branches et construit l'abri. Yseut en
jonche le sol d'une épaisse couche de feuilles. Tristan

1. L'intervention du narrateur ouvre ici une discussion inté-
ressante. On voit comment les mêmes épisodes sont racontés dif-
féremment par divers conteurs. La critique formulée par Béroul,
au moment même où il nous livre orgueilleusement son nom, se
fonde sur la règle de la convenance, essentielle à la rhétorique de
l'époque.
2. La forêt du Morroi, ou Morrei, est bien connue par les
documents d'archives qui jalonnent son histoire. Elle se trouve
en Cornouailles, près de Lancien. Elle constituait un fief d'envi-
ron 600 hectares.
3. Conclusion marquant un repos. Après l'extrême danger, les
personnages jouissent d'une nouvelle sécurité.
4. L'adresse du héros à l'arc peut faire penser à une tradition
mythologique. En tout cas nous avons affaire à un héros chasseur,
et non pas seulement à un chevalier. L'image renoue avec la tradition antique.

s'est installé avec la reine. Governal, qui savait bien cuisiner, fait un bon feu de bûches sèches. Nos cuisiniers avaient fort à faire, sans lait ni sel, cette fois, au logis[1]. La reine était très lasse, encore sous le coup de la peur qu'elle avait éprouvée. Le sommeil la prend, elle veut dormir sur son ami, comme par le passé.

Seigneurs, c'est ainsi qu'ils vivent pendant longtemps au fond de la forêt, longtemps ils restent dans cette solitude. Et maintenant, écoutez ce qui arrive au nain avec le roi. Il savait un secret du roi qu'il était seul à connaître. Il eut l'étourderie de le révéler : c'était commettre une bêtise qu'il a dû, par la suite, payer de sa tête. Un jour qu'il était ivre, les barons voulurent le faire parler ; ils lui demandèrent ce qu'ils pouvaient bien avoir à se dire si souvent, lui et le roi, et de quoi ils délibéraient. « J'ai toujours bien gardé son secret, très loyalement. Je vois bien que vous voulez l'apprendre, et je ne veux pas manquer à ma parole. Mais je vous conduirai tous les trois devant le Gué Aventureux[2]. Là-bas il y a une aubépine, et une

1. Béroul donne d'emblée le ton ; certes les amants tirent le meilleur parti de la forêt pour s'abriter, dormir et manger. Mais ils sont dans la détresse ; le retour à la vie sauvage n'a rien de séduisant pour eux avec sa misère et sa solitude, en contraste avec la joie de la liberté. Néanmoins il faut noter le ton ironique. C'est un aspect du style de Béroul que l'on a trop négligé, comme sa vigueur, passant ainsi à côté de la véritable signification du texte.
2. Le Gué Aventureux se trouve au Mal Pas, un peu en deçà de la Blanche Lande, voir p. 137, 138 et 142. Le gué est souvent associé à l'idée d'épreuve, voire de passage vers la mort. C'est le lieu où se fixent des croyances anciennes. L'aubépine est aussi une plante qui fait l'objet de superstitions. En somme l'eau, le gué et l'aubépine constituent un paysage typique des croyances païennes.

fosse sous ses racines. Je pourrai y mettre ma tête et vous entendrez mes paroles du dehors. Ce que je dirai concernera le secret du roi, que je dois lui garder. »

Les barons, suivant le nain, se rendent à l'emplacement de cette aubépine. Frocin était un petit nain, avec une grosse tête. Ils ont donc vite élargi l'entrée du trou et l'y ont poussé jusqu'aux épaules. « Écoutez bien, seigneurs marquis ! Aubépine, c'est à vous que je parle, non pas à un vassal du roi. Marc a des oreilles de cheval[1]. » Ils ont bien entendu les paroles du nain. Il arriva qu'un jour, après dîner, le roi Marc parlait à ses barons avec, à la main, un arc en bois de cytise. Voilà qu'arrivent les trois barons à qui le nain avait révélé le secret. Ils prennent le roi à part et lui disent : « Roi, nous savons ce que tu nous caches. » Cela fait rire le roi qui dit : « Ce malheur de mes oreilles de cheval, je le dois à ce devin. Eh bien, on va en finir avec lui ! » Il tire son épée et lui coupe la tête. Cela a fait plaisir à bien des gens qui haïssaient le nain Frocin par sympathie pour Tristan et pour la reine.

Seigneurs, vous avez bien entendu raconter le saut de Tristan en bas de la falaise, la fuite de Governal sur son destrier, dans la crainte d'être livré au bûcher si Marc l'attrapait[2]. Les voilà ensemble dans la forêt ;

---

1. On trouve l'histoire du roi Midas et des oreilles d'âne dans les *Métamorphoses* d'Ovide, œuvre bien connue au Moyen Âge. En Bretagne, c'est l'histoire de Portzmarc'h et de ses oreilles de cheval, d'autant plus facilement attribuée au roi Marc que son nom signifie « cheval » en langue celtique.
2. Le résumé des événements depuis le saut de Tristan intervient après une pause dans la lecture. Le style oral est ici bien apparent, avec l'appel au public et la reprise du nom du héros mentionné en conclusion du précédent récit.

Tristan les nourrit des produits de la chasse. Ils séjournent longtemps dans ces bois. Après avoir passé une nuit quelque part, ils changent de campement dès le matin[1]. Un jour ils arrivèrent, par hasard, à l'ermitage de frère Ogrin. La vie qu'ils mènent est âpre et dure, mais l'amour qu'ils ont l'un pour l'autre les rend insensibles à la douleur[2].

L'ermite a reconnu Tristan. Il s'est appuyé sur sa béquille, et il l'interpelle, écoutez comment[3]. « Seigneur Tristan, on a solennellement juré, dans toute la Cornouailles, que celui qui vous rendrait au roi recevrait sans faute cent marcs de récompense. Dans ce pays, il n'y a pas de seigneur qui n'ait prêté serment de vous rendre, mort ou vif. » Ogrin continue gentiment : « Sur ma foi, Tristan, au pécheur repentant Dieu accorde son pardon s'il croit en Lui et se confesse[4]. »

Tristan lui répond : « Mon Père, je vous le dis, si elle m'aime en toute bonne foi, c'est qu'elle a une bonne raison, que vous ne savez pas ; car si elle

1. Ici apparaît le motif de l'errance, qui souligne la condition misérable des amants. Nous apprenons que les amants changent de campement tous les jours.
2. Cette idée est importante pour comprendre le texte, en particulier l'évolution des sentiments de Tristan et Yseut après la dissipation du charme dû au philtre.
3. Le discours de l'ermite est en deux parties. La première, assez froide et anonyme, sonne comme un rappel ou un avertissement. La seconde, une fois l'ermite nommé par le narrateur, suggère une solution. Inspirer d'abord la crainte, puis offrir un espoir, c'est la tactique des prédicateurs.
4. La théorie du péché, de la pénitence et du pardon ici exposée reflète la théologie de l'époque.

m'aime, c'est sous l'effet d'un philtre[1]. Nous ne pouvons plus nous séparer l'un de l'autre, c'est la stricte vérité. » Ogrin reprend : « Et quel réconfort peut-on apporter à un homme mort ? Il est bien mort celui qui reste longtemps dans le péché sans se repentir. On ne peut proposer une solution par la pénitence à un pécheur sans repentir. »

L'ermite Ogrin leur fait un long sermon, les invitant au repentir. L'ermite cite maintes fois les prophéties de l'Écriture et insiste beaucoup pour qu'ils se séparent. À Tristan il demande avec anxiété : « Que vas-tu faire ? Réfléchis ! — Mon Père, j'aime Yseut d'un amour merveilleux. Je n'en dors plus, j'en ai perdu le sommeil. Aussi, c'est tout réfléchi : je préfère rester avec elle en mendiant, et vivre de plantes et de glands, plutôt que d'avoir, sans elle, le royaume du roi Otran[2]. Je ne veux plus entendre parler de la quitter, car vraiment, c'est impossible. »

Yseut pleure aux pieds de l'ermite. Elle change de couleur plusieurs fois dans le même instant, et fait plusieurs fois appel à sa pitié. « Mon Père, au nom de Dieu tout-puissant, il ne m'aime et moi je ne l'aime qu'à cause d'une boisson empoisonnée[3] dont

1. La *poison*, en ancien français, est la potion magique préparée par la mère d'Yseut. Cette dernière est accusée également de pratiquer les drogues magiques, les venins, puisque le lépreux l'appelle la « vipère ». L'effet est prévu pour durer trois ans, mais les amants continueront à s'aimer toute leur vie (d'une façon moins magique).
2. Le roi Otran, ou Ocran, passait pour posséder un palais d'une richesse fabuleuse.
3. Parmi les herbes entrant dans la composition de la potion, on cite le millepertuis, dont les vertus aphrodisiaques sont puissantes s'il est cueilli avant le lever du soleil, le matin de la Saint-Jean.

j'ai bu, ainsi que lui. Telle fut notre faute, et c'est pour cela que le roi nous a chassés. » L'ermite aussitôt leur répond : « Alors, que Dieu créateur du monde vous accorde un repentir sincère[1] ! » Soyez certains, assurément, que cette nuit-là ils dormirent chez l'ermite ; pour eux il fit violence à sa règle de vie. Au petit matin, ils sont partis. Tristan se tient dans les bois, évitant la rase campagne. Ils manquent de pain, ce qui est très pénible. Il tue cerfs, biches, chevreuils en quantité, dans les bois. Là où ils installent leur campement, ils font la cuisine avec un bon feu. Mais ils ne passent qu'une seule nuit au même endroit.

Seigneurs, sachez que le roi a fait proclamer partout l'avis de recherche concernant Tristan, et en Cornouailles il n'est paroisse où cette nouvelle ne plonge la population dans l'angoisse, car on exige que toute personne qui trouverait Tristan lance le cri d'alerte.

Qui veut entendre un conte d'aventure montrant l'importance du dressage[2] ? Écoutez-moi, rien qu'un instant : vous m'entendrez parler d'un bon chien de chasse[3]. Ni comte ni roi n'en eut jamais de tel pour chasser. C'était un chien rapide, toujours sur le qui-

---

1. L'échec de l'ermite illustre le pouvoir magique du philtre. Mais cette première entrevue prépare la seconde où, après le terme fixé pour l'efficacité du philtre, Ogrin conduira les amants au repentir.

2. L'épisode du chien Husdent s'annonce comme une aventure autonome, avec valeur d'exemple, de ce que l'éducation peut faire ! Le public est invité à prêter un instant d'attention, comme pour s'excuser de le détourner de l'action principale.

3. Le chien est un braque, de la variété du chien courant. On le cite souvent, au Moyen Âge, à côté du lévrier.

vive. Oui, il était beau, rapide, vif. On l'appelait Husdent. On l'avait attaché par une lanière. Il montait la garde près du donjon, car il était très inquiet de ne plus voir son maître. Il refusait toute nourriture, pain ou pâtée, qu'on lui apportait. Il grognait, piétinait, versant des larmes[1]. Dieu ! beaucoup de gens avaient pitié du chien. Chacun disait : « Si c'était le mien, je le détacherais, car s'il devient enragé, ce sera dommage. Ah ! Husdent, jamais on ne trouvera un chien pareil, qui soit si vif et mène tel deuil pour son maître ! Il n'y a jamais eu de bête aussi affectueuse. Salomon a bien raison de dire que son ami, c'est son lévrier. En voici la preuve, car vous ne voulez toucher à aucune nourriture depuis que votre maître a été pris. Roi, qu'on le détache de sa laisse ! » Le roi se dit, craignant que le chien ne devienne enragé de ne plus voir son maître : « Certes, ce chien est très intelligent : je ne pense pas que de nos jours il y ait en terre de Cornouailles un chevalier qui vaille Tristan. »

Les trois barons de Cornouailles en ont parlé au roi : « Sire, détachez donc Husdent ! Nous verrons bien clairement s'il manifeste cette douleur par regret pour son maître ; car si tôt détaché il mordra, s'il est enragé, tout ce qu'il rencontrera, choses, bêtes ou gens, et il aura la langue pendant au vent. »

Le roi appelle un écuyer pour qu'il détache Husdent. Tous grimpent sur des bancs, sur des tabourets,

---

1. Le comportement du chien, symbole de l'affection fidèle, est dans l'ensemble bien observé, mais on ne peut pas éviter un peu d'anthropomorphisme (les larmes).

car ils ont d'abord peur du chien. Et ils disaient :
« Husdent est enragé ! » Mais il n'a pas envie de
mordre. Aussitôt détaché il court entre les files de
gens, attentif, sans s'attarder davantage. Il sort de la
salle par la porte et arrive à la maison où d'habitude il retrouvait Tristan[1]. Le roi le voit faire, ainsi
que ceux qui le suivent. Le chien aboie souvent,
gronde, manifestant une grande douleur. Il tombe
sur les traces de son maître. De tous les pas qu'a
faits Tristan depuis son arrestation et sa condamnation au bûcher, aucun n'échappe à la quête du chien.
Et chacun de dire : « Cherche encore ! » Husdent
est conduit dans la chambre où Tristan, trahi, fut
fait prisonnier. Le chien file, bondit, donne de la
voix, se dirige en aboyant vers la chapelle ; les gens
suivent le chien. Il ne s'est pas arrêté depuis qu'on
l'a détaché jusqu'à son arrivée à la chapelle bâtie au
sommet de la falaise. Le brave Husdent est entré à
toute vitesse par la porte de la chapelle ; il bondit
sur l'autel et, ne voyant pas son maître, sort par la
fenêtre. Il dévale la pente rocheuse, se blessant à une
patte, mais flairant le sol il continue d'aboyer. Sous le
couvert du bois en fleurs où Tristan s'était embusqué, Husdent s'est arrêté un peu ; il repart, s'enfon-
çant dans la forêt. En le voyant faire tout le monde
s'attendrit. Les chevaliers disent au roi : « Cessons de

---

1. L'itinéraire du chien, tout en illustrant ses qualités de limier,
permet de rappeler les principaux épisodes depuis l'arrestation
de Tristan, dans une sorte d'exploration de la mémoire, en suivant
les données spatiales de l'aventure.

suivre ce guide ; il pourrait nous mener en un lieu
d'où il serait difficile de revenir[1]. »

Ils laissent partir le chien et reviennent sur leurs
pas. Husdent a pris un chemin carrossable. Il se plaît
à faire ce parcours, le bois retentit de ses aboiements.
Tristan se tenait un peu plus loin dans le bois, avec
la reine et Governal. Ils entendent le bruit qu'il fait,
et Tristan écoute : « Mon Dieu, dit-il, j'entends Husdent ! » Ils ont très peur, ils sont terrorisés. Tristan
bondit et bande son arc. Ils reculent au fond d'un
fourré. Ils ont peur du roi et, tout émus, se disent
qu'il arrive avec le chien. Mais celui-ci ne se fait guère
attendre, car il suit la trace. En voyant son maître,
et en le reconnaissant, il secoue la tête et remue la
queue. Qui a vu comme il est mouillé de joie peut
dire qu'il n'a jamais vu pareille joie. Il court vers
Yseut aux blonds cheveux, puis à Governal. Il fait
fête à tout le monde, même au cheval. Tristan éprouve
une grande pitié pour le chien : « Ah ! Dieu, dit-il,
par quelle malédiction ce chien nous a-t-il suivis ? Un
chien qui ne reste pas silencieux en forêt ne peut être
utile à un banni. Nous vivons dans la forêt, haïs par
le roi ; à travers les plaines, les bois, toute la terre,
le roi Marc nous fait rechercher. S'il nous trouvait
et pouvait nous prendre, il nous ferait brûler ou

1. On se demande pourquoi le roi et ses chevaliers font demi-
tour, alors qu'ils avaient là un bon moyen de retrouver Tristan.
Les barons n'ont sans doute pas envie de s'aventurer dans la
forêt où Tristan et Governal, nous allons bientôt le voir, risquent
de leur faire un mauvais sort. Quant aux autres, ils ne souhaitent
pas l'arrestation des amants.

pendre. Nous n'avons pas besoin d'un chien. Sachez bien une chose, c'est que si Husdent reste avec nous, il sera pour nous source de frayeur et de douleur. Il vaut bien mieux qu'il soit tué plutôt que nous ne soyons pris à cause de ses aboiements. Et je regrette beaucoup que sa fidélité ne trouve ici comme récompense que la mort.

« C'est sa noble nature qui le poussait à agir ainsi ; mais comment m'en sortir ? Certes, je suis très angoissé à l'idée d'avoir à lui donner la mort. Aidez-moi à trouver une solution. En tout cas, il faut que nous prenions des précautions. » Yseut lui dit[1] : « Seigneur, pitié ! Le chien qui attrape une bête aboie ; c'est sa nature, c'est son habitude. J'ai entendu dire qu'un forestier gallois — cela s'est passé au royaume d'Arthur — avait un chien courant qu'il avait dressé de la manière suivante : le cerf, une fois blessé par une flèche de son arc, ne pouvant plus s'échapper sans laisser une trace que le chien, inévitablement, suivait à toute allure, celui-ci se gardait bien de faire retentir la forêt de ses cris, mais surprenait la bête sans aboiement ni tumulte. Tristan, mon ami, ce serait une grande joie s'il y avait moyen, au prix de quelque effort, de dresser Husdent pour qu'il cesse d'aboyer lorsqu'il arrive sur la bête qu'il chasse. » Tristan s'était immobilisé, attentif et ému ; il réfléchit un peu puis

1. C'est Yseut qui fait preuve à la fois de pitié, de sang-froid et de compétence, ce qui est surprenant de la part d'une femme dont la spécialité n'est évidemment pas la chasse. Mais son savoir ne remonte-t-il pas, par fées interposées, jusqu'à Diane ? Le retour à la vie forestière la rapproche des figures païennes.

dit seulement : « Si je pouvais entraîner Husdent à
garder le silence au lieu d'aboyer, j'aurais pour lui le
plus grand respect. Je vais m'y consacrer avant la fin
de la semaine. J'aurai du chagrin si je le tue, mais j'ai
très peur que le chien n'aboie, car je pourrais me
trouver, avec vous ou mon maître Governal, en un
lieu où ses aboiements nous feraient prendre. Je veux
consacrer ma peine et mes soins à lui faire attraper
des bêtes sans aboyer. » Alors Tristan va chasser en
forêt. Il s'est mis à l'affût, tire sur un daim ; l'animal
perd du sang, le chien aboie ; blessé, le daim s'enfuit
au galop. Le brave Husdent aboie fort après lui. La
forêt retentit des aboiements du chien. Tristan le bat,
lui donnant une grande tape. Le chien obéit à son
maître, renonce à aboyer, laisse partir la bête ; il lève
la tête vers lui, ne sachant que faire ; il n'ose aboyer,
abandonne la trace. Tristan prend le chien entre ses
jambes et lui indique le chemin en tapotant avec sa
baguette ; alors Husdent veut recommencer à aboyer.
Tristan reprend l'enseignement et, avant la fin du
mois, le chien est si bien dressé dans la lande qu'il
suit la trace sans aboyer ; que ce soit sur la neige,
l'herbe ou la glace, il ne lâchera pas son gibier, si
rapide et si habile soit-il.

Maintenant le chien leur est bien utile, il leur rend
de merveilleux services. S'il attrape dans le bois un
chevreuil ou un daim, il le cache dans un buisson en
le couvrant de branches ; et s'il prend l'animal au
milieu de la lande, comme il lui arrive souvent de le
faire, il jette de l'herbe par-dessus, retourne chercher

son maître et le mène à l'endroit où il a pris la bête. Les chiens rendent de bien grands services !

Seigneurs[1], Tristan est resté longtemps dans la forêt, où il a dû supporter bien des peines et des souffrances. Il n'ose pas rester au même endroit. Il ne se couche jamais le soir là où il s'est levé le matin. Il sait bien que le roi le fait rechercher et qu'une proclamation officielle ordonne à toute personne qui le trouvera de l'arrêter. En forêt ils manquent de pain, ils vivent de gibier et n'ont rien d'autre à manger. Que peuvent-ils faire pour éviter de pâlir ? Leurs vêtements partent en lambeaux, déchirés par les branches. Ils ont longtemps vécu dans le Morroi, fugitifs, chacun d'eux supportant autant de souffrance que l'autre, la souffrance de l'autre faisant oublier à chacun la sienne. La noble Yseut a très peur que Tristan ne se repente de son malheur à elle, et Tristan, de son côté, sachant qu'Yseut est brouillée avec le roi par sa faute à lui, a peur qu'elle n'en arrive à regretter cette folie[2].

Un de ces trois traîtres (que Dieu les maudisse !) qui les firent surprendre a fait, un jour, une curieuse

1. Le passage suivant renoue avec le style de l'épisode qui commençait p. 78, à peu près dans les mêmes termes. Ces intermèdes remplissent la fonction du chœur dans les tragédies grecques, exprimant le pathétique *(pathos)* de la situation.
2. Voir plus haut, p. 80. Cette fois le thème de la symétrie et de la réciprocité dans l'amour se nuance d'inquiétude. La leçon de l'ermite a peut-être impressionné les amants, et l'heure approche où le philtre va perdre son pouvoir magique. Chacun a peur du repentir de l'autre. Le thème de la folie est associé à la légende de Tristan, soit pour désigner l'effet du philtre, soit pour caractériser son déguisement, mais peut-être aussi par allusion à son tempérament mélancolique (Tristan le triste).

rencontre. Écoutez comment ! C'était un homme puissant, riche et de grande renommée qui aimait chasser avec des chiens. Les gens du pays de Cornouailles avaient peur de la forêt de Morroi, si bien que personne n'osait y entrer. Ils avaient une bonne raison d'avoir peur, car si Tristan avait pu les prendre, il les aurait pendus aux arbres. Il fallait donc qu'ils se tiennent à l'écart. Un jour, Governal se trouvait seul avec son cheval, près d'un ruisseau qui descendait d'une petite source. Il avait ôté la selle de son cheval qui paissait l'herbe nouvelle[1].

Tristan était couché dans la loge de feuillage, et tenait étroitement enlacée la reine pour qui il s'était mis dans cette situation pénible et angoissante. Tous deux étaient endormis. Governal entendit par hasard des chiens dans un buisson d'aubépines ; ils chassaient un cerf à vive allure. C'étaient les chiens appartenant à l'un des trois personnages dont les conseils avaient semé la discorde entre le roi et la reine. Les chiens sont à la poursuite du cerf qui se sauve à toute vitesse. Governal arrive alors par un grand chemin qui traverse la lande. De loin, il voit venir cet homme que son maître, il le sait bien, déteste le plus au monde, tout seul, sans écuyer. Il donne tellement des éperons qu'il lance son cheval au galop, il le frappe à l'encolure de sa cravache. Le cheval bronche sur un caillou. Mais Governal s'appuie contre un arbre ; il

1. Le motif du cavalier solitaire laissant son cheval en liberté dans un pré appartient au registre du lyrisme courtois. Ce pourrait être une scène idyllique, mais la suite est bien différente !

s'est ainsi mis en embuscade, attendant celui qui arrive plus vite qu'il ne partira.

Nul ne peut déjouer le mauvais sort. Il ne se méfiait pas de la rancune qu'il avait fait naître chez Tristan. Governal, arrêté sous l'arbre, le voit venir et il l'attend, impassible. Il se dit qu'il aimerait mieux être réduit en cendres que de laisser passer l'occasion de se venger de lui. Car c'est à cause de lui et de ses machinations qu'ils ont failli être tués tous les trois. Les chiens poursuivent le cerf en fuite, l'homme suit ses chiens. Governal bondit de son embuscade et, se souvenant du mal que l'autre lui a fait, il le taille en pièces avec son épée, et lui coupe la tête, qu'il emporte. Les veneurs, qui suivent à la trace le cerf qu'ils avaient levé, aperçoivent le buste décapité de leur maître, au pied de l'arbre. Ils se sauvent à qui mieux mieux. Ils pensent bien que c'est là l'œuvre de Tristan que le roi a fait proclamer hors la loi. Dans toute la Cornouailles, le bruit s'est répandu que l'un des trois barons qui ont brouillé Tristan avec le roi a été décapité. Tous en sont effrayés, voire terrorisés. Depuis, ils ont laissé en paix la forêt, ils n'y ont plus chassé aussi souvent. Dès qu'ils mettent le pied dans la forêt, fût-ce pour chasser, ils craignent d'y rencontrer le vaillant Tristan. La peur règne jusque dans les campagnes, même dans les cultures, mais surtout dans les endroits déserts. Tristan était couché dans sa loge de feuillage. Il faisait chaud, le sol était jonché de feuilles. Il s'était endormi et il ne savait pas qu'avait perdu la vie celui qui avait failli causer sa mort. Il va être heureux quand il apprendra la nouvelle.

Governal arrive à la loge, tenant à la main la tête du mort. Il l'attache par les cheveux au sommet de la couverture de feuillage. Tristan en se réveillant aperçoit la tête. Il bondit, effrayé, et reste debout, immobile[1]. Mais son maître d'armes lui crie à haute voix : « Ne vous sauvez pas, vous pouvez être tranquille : je l'ai tué avec cette épée. Sachez-le, c'est bien celui qui était votre ennemi. » Tristan est tout heureux de ce qu'il entend. Voilà mort celui qu'il redoutait le plus.

Ils ont tous peur, dans le pays. La forêt inspire une telle frayeur que plus personne n'ose y pénétrer. Maintenant les amants ont le bois à leur disposition. C'est durant leur séjour dans cette forêt que Tristan inventa l'Arc Infaillible[2]. Il l'installe de telle manière dans les bois qu'il tue tout ce qui passe à sa portée. Si un cerf ou un daim, avançant dans le bois, effleure les branches qui maintiennent l'arc tendu, le coup atteint l'animal vers le haut, quand le contact a lieu en haut, vers le bas, si le contact se produit en bas. Tristan a eu bien raison de donner ce nom à l'arc

1. Cette barbare plaisanterie vaut à Tristan un mauvais réveil. Il en aura un autre quand le roi les aura retrouvés. Mais Governal a le bon goût de le rassurer tout de suite.
2. Apparition d'une arme merveilleuse, inspirée sans doute par les objets magiques de contes, mais que l'on présente comme inventée, fabriquée, et nommée par Tristan lui-même. La description qui suit s'applique plutôt au mécanisme d'un piège qu'à une arme maniée à la chasse. Ici, ce qui est remarquable est que l'arc règle automatiquement le tir sur la bête, grande ou petite.

qu'il a fait. Bien nommé, l'arc infailliblement frappe en bas comme en haut. Depuis, l'arc leur a rendu de grands services, leur permettant de manger la viande d'un bon nombre de grands cerfs. Ils avaient besoin de gibier pour subsister dans les bois, car le pain leur faisait défaut, et ils n'osaient sortir en terrain découvert. Ils ont longtemps vécu ainsi en exil. La chasse était merveilleuse, ils avaient du gibier en grande quantité.

Seigneurs, c'était un jour d'été, à l'époque où l'on moissonne, quelque temps après la Pentecôte[1]. Un matin, à l'heure de la rosée, les oiseaux chantaient le lever du jour. Tristan, l'épée au côté, quitte seul la loge de feuillage où il avait couché. Il veut inspecter l'Arc Infaillible, et partir en forêt pour chasser. Avant son retour il aura éprouvé une telle souffrance que personne n'a pu en connaître une semblable. Mais chacun oublie sa souffrance en pensant à celle de l'autre ; c'est ainsi que le couple trouve un certain soulagement. Ce que fut leur calvaire depuis leur refuge dans la forêt, il n'y a aucun autre couple qui l'ait jamais connu. Mais, comme le raconte l'histoire écrite dans le livre que Béroul a pu lire, il n'y a pas deux personnes qui se soient autant aimées ni qui eurent à le payer si cher.

1. Motif d'introduction caractéristique de la poésie lyrique. La date, quoique approximative, est importante, car elle permet de situer ce tournant du conte par rapport au calendrier folklorique, au moment du solstice d'été et de la Canicule. Les pastourelles auront souvent recours à ce motif situant dans le temps le début de la narration poétique. Mais ici encore le récit va s'interrompre immédiatement pour une digression sur la souffrance des amants.

La reine se lève pour accueillir Tristan. Il fait une forte chaleur, elle les accable. Tristan la prend dans ses bras et lui dit : « . . . .

— Ami, [répond-elle,] où êtes-vous allé ? — À la poursuite d'un cerf, qui m'a éreinté. Je l'ai poursuivi si longtemps que je n'en peux plus. J'ai sommeil, je voudrais dormir. » La loge était faite de rameaux verts. Par endroits il manquait des feuilles ; le sol était jonché d'herbe. Yseut s'est couchée la première. Tristan se couche à son tour, il tire son épée, la dispose entre leurs deux corps[1]. Yseut a gardé sa chemise (si elle avait dormi nue ce jour-là, un terrible malheur leur serait arrivé). Quant à Tristan, il avait gardé ses braies[2]. La reine avait à son doigt l'anneau d'or rehaussé d'émeraudes que le roi lui avait donné pour leur mariage. Du doigt, étonnamment maigre, l'anneau tombait presque. Écoutez comment ils sont couchés ! Yseut a passé un bras sous le cou de Tristan et posé l'autre, il me semble, par-dessus. Elle le tient étroitement enlacé, et lui la tient par la taille. Leur amitié n'est donc pas feinte. Leurs bouches se sont rapprochées, et pourtant restent légèrement séparées. Aucun souffle de vent, aucun

1. L'épée symbolise la continence. Cette valeur symbolique va contribuer à tromper le roi Marc. Quant à savoir si Tristan a placé ainsi son épée par précaution habituelle, évidemment Béroul ne nous fournit aucun argument en ce sens. Peut-être est-ce la première fois qu'il prend cette précaution, qui de toute façon revêt une signification conforme au changement survenu avec la fin de la magie.

2. Les « braies » sont le pantalon traditionnel des Gaulois, porté encore durant le haut Moyen Âge.

frémissement dans les feuilles. Un rayon de soleil descend sur le visage d'Yseut plus resplendissant que la glace. C'est ainsi que se sont endormis les amants, sans penser à mal, si peu que ce soit. Ils sont tout seuls en cet endroit, car Governal est parti, il me semble, avec son destrier, descendant à travers le bois qu'exploite le forestier.

Écoutez, seigneurs ! Quelle aventure ! Elle a failli mal tourner pour eux. Un forestier avait trouvé les feuillages qu'ils avaient coupés là où ils avaient dormi. En suivant l'itinéraire ainsi jalonné de feuilles, il était arrivé à la hutte où Tristan s'était installé avec Yseut. Il les vit dans leur sommeil et n'eut aucun mal à les reconnaître. Le sang reflue dans ses veines, il est tout troublé. Il est parti tout de suite, car il avait peur ; il savait bien que si Tristan se réveillait, il n'aurait rien d'autre à laisser en otage que sa tête, qu'on lui prendrait en gage. Qu'il se sauve n'est donc pas étonnant. Il sort du bois et court à une vitesse étonnante.

Tristan dort avec son amie, mais peu s'en faut qu'ils n'aient trouvé la mort. De l'endroit où ils dorment jusqu'à celui où le roi tient sa cour, il y a bien, je pense, deux bonnes lieues[1]. Le forestier court à toute allure, car il a bien entendu la proclamation qui concerne Tristan : que celui qui donnerait au roi un bon renseignement obtiendrait une belle récompense. Le forestier le sait bien, et c'est pour cela qu'il bat

---

1. Cette rare donnée spatiale suggère les proportions de ce monde romanesque. La course du forestier est dans un rapport symétrique avec celle du chien. L'un apportait une aide, l'autre suscite un danger.

tous les records de vitesse pour arriver. Le roi Marc,
dans son palais, tient donc sa cour de justice. La
grande salle est pleine de barons. Le forestier dévale
la colline, et le voilà qui entre dans le château. Il se
dépêche encore. Pensez-vous qu'il ait envie de s'arrêter avant d'arriver à l'escalier qui conduit à la salle ?
Le voilà déjà en haut.

Le roi le voit venir à toute allure ; il appelle aussitôt son forestier : « Tu as des nouvelles pour arriver
si vite ? Tu as l'air d'un homme qui chasse à courre,
à la poursuite de sa proie. Veux-tu porter plainte à la
cour contre quelqu'un ? Tu as l'air d'un homme
chargé d'une mission urgente et envoyé ici d'un pays
lointain. Si tu veux dire quelque chose, dis ton message. Quelqu'un a-t-il refusé de rembourser son
gage, ou t'a-t-il chassé hors de ma forêt ? — Écoute-
moi, roi, s'il te plaît, et accorde-moi un instant d'attention. Dans tout le pays on a fait proclamer que
quiconque pourrait trouver ton neveu devait à tout
prix s'efforcer de le prendre, même au péril de sa
vie, ou venir en informer le roi. Je l'ai trouvé, et je
redoute donc ta colère. Si je ne te donne pas le renseignement tu me condamneras à mort. Je te conduirai donc à l'endroit où il dort avec la reine à côté de
lui. Je l'ai vu, il y a peu de temps, à côté d'elle. Tous
deux dormaient à poings fermés. J'ai eu grand-peur
quand je les ai vus. » Le roi l'écoute et, gonflant ses
joues, soupire. Il est bouleversé. La colère s'empare
de lui. Il s'adresse au forestier ; en le prenant à part,
il lui chuchote à l'oreille : « En quel endroit sont-ils ?
Dis-moi ! — Dans une loge du Morroi où ils dorment

étroitement enlacés. Viens vite, et alors nous serons
vengés. Roi, si maintenant tu ne tires pas d'eux une
terrible vengeance, tu n'es plus digne d'avoir ce pays,
cela ne fait pas de doute. » Le roi lui répond : « Va-
t'en d'ici et sors. Si tu tiens à la vie, ne dis pas un mot
de ce que tu sais, à personne, étranger ou familier !
À la Croix Rouge, à la croisée des chemins¹, là où
l'on ensevelit souvent les corps, va m'attendre sans
bouger. Je te donnerai autant d'or et d'argent que tu
voudras, je te le promets. » Le forestier quitte le roi,
arrive à la Croix et s'assied là. Que la maladie de la
goutte lui crève les yeux, à cet homme si désireux de
faire périr Tristan ! Il aurait mieux fait de se sauver,
car depuis il est mort dans la honte, comme vous
l'apprendrez dans la suite du conte².

Le roi est entré dans sa chambre. Il a convoqué
tous les membres de sa maison. Alors il leur a formel-
lement interdit d'essayer de le suivre, fût-ce d'un seul
pas. Chacun de s'étonner : « Roi, est-ce une plaisanterie ? Vous voulez aller tout seul quelque part ? On
n'a jamais vu un roi sans escorte. Quelle nouvelle
avez-vous apprise ? Ne partez pas sur un simple rapport d'espion ! » Le roi répond : « Je n'ai pas reçu

---

1. On met souvent une croix au croisement des chemins. Ce
doit être un point de repère important, puisque c'est là que le roi
accrochera la lettre qui répondra à celle de Tristan (p. 112). Mais
la suite nous apprend que cette croix marque aussi un cimetière.
2. La récompense escomptée, mais non encore réclamée, doit
surtout acheter la discrétion et la fidélité du forestier. Définiti-
vement rangé parmi les opposants, le forestier est voué à un châtiment que le narrateur annonce deux mille vers avant le récit de
l'événement (voir p. 161).

de nouvelle. Mais une jeune fille m'a demandé d'aller lui parler. Elle m'a bien recommandé de n'amener personne. J'irai tout seul sur mon cheval et je n'emmènerai ni compagnon ni écuyer. Pour cette fois j'irai sans vous. » Ils répliquent : « Cela nous contrarie. Caton recommande à son fils d'éviter les endroits écartés[1]. » Il répond : « Je le sais bien. Mais laissez-moi un peu faire ce qui me plaît ! »

Le roi a fait seller son cheval. Il ceint son épée et maintes fois regrette intérieurement la trahison de Tristan, qui lui a pris la belle Yseut au clair visage pour s'enfuir avec elle. S'il les trouve, menace-t-il, il ne manquera pas de les punir. Le roi est tout à fait prêt à tuer. C'est bien dommage[2] ! Il sort de la ville en disant qu'il préfère être pendu plutôt que de ne pas se venger de ceux qui ont mal agi à son égard. Il est arrivé à la Croix[3], où l'attend le forestier à qui il dit de marcher vite et de le mener par le chemin le plus direct. Ils pénètrent dans la forêt où l'ombre est épaisse ; faisant passer l'espion devant, le roi suit derrière, n'ayant confiance qu'en l'épée qu'il a au côté et avec laquelle il a donné bien des coups. Pourtant il est encore trop imprudent, car si Tristan était réveillé, il y aurait bataille entre le neveu et l'oncle, et le combat ne pourrait prendre fin que par la mort de

1. On ne sait à quel texte renvoie exactement l'allusion à Caton.
2. Le passage qui va suivre est un des mieux réussis dans le récit de Béroul. La péripétie dramatique coïncide avec la coupure centrale, structurant le thème magique, coupure renforcée par celle du calendrier (le solstice).
3. La Croix Rouge, lieu fixé pour le rendez-vous.

l'un d'eux. Le roi Marc a dit au forestier qu'il lui donnerait vingt marcs d'argents s'il le conduisait rapidement à celui qui l'a déshonoré. Le forestier (honte à lui !) dit qu'ils sont maintenant tout près du but. L'espion fait descendre le roi de son bon cheval né en Gascogne. Ils attachent les rênes du cheval à la branche d'un pommier vert, puis ils progressent jusqu'au moment où ils ont aperçu la loge de feuillage, but de leur équipée.

Le roi délace son manteau dont les attaches sont en or fin. Sans manteau il apparaît dans toute sa beauté. Il dégaine son épée, s'élance en colère, répétant qu'il préfère mourir plutôt que de ne pas se venger en les tuant. L'épée nue, il entre dans la hutte, avec le forestier sur ses talons, empressé derrière le roi. Mais le roi lui fait signe de repartir. Le roi lève son épée, dans un geste de colère, mais il a une défaillance. Déjà le coup allait s'abattre sur eux, il les aurait tués, et c'eût été un grand malheur[1], quand il remarqua qu'elle avait gardé sa chemise, qu'entre eux deux il y avait un espace, que leurs bouches n'étaient pas jointes. Et quand il vit que l'épée nue séparait leurs deux corps, que Tristan avait gardé ses braies, le roi dit[2] :

1. On a ici un exemple de la technique de l'éventualité écartée (l'autre possibilité narrative) dont nous avons remarqué plusieurs traces. Ce malheur évité accentue la densité dramatique de l'épisode.
2. Le regard du roi relève quatre indices qui parlent en faveur de l'innocence, ou incitent à l'indulgence : la chemise, les braies, l'épée qui sépare, l'écart des bouches. La scène vue est ce signifiant symbolique qui doit être interprétée, bien ou mal, car on peut

« Dieu ! que se passe-t-il ? Maintenant que j'ai découvert tant de détails de leur existence, Dieu, je ne sais plus ce que je dois faire, si je dois les tuer ou me retirer ! Ils séjournent dans la forêt depuis bien longtemps. Je peux bien m'imaginer, avec un peu de bon sens, que s'ils s'aimaient d'amour coupable ils ne dormiraient pas avec une épée entre eux deux, et ce couple offrirait un tout autre spectacle. J'avais l'intention de les tuer, mais je ne les toucherai pas, je surmonterai ma colère. Ils n'ont pas le cœur à vivre une folle passion. Je ne frapperai aucun des deux. Ils sont endormis. Si je les touchais, je commettrais une trop grave faute. Et si je réveille celui qui dort ici, s'il me tue ou si je le tue, on va raconter des choses déplaisantes. Je vais fabriquer des indices[1] tels qu'à leur réveil ils pourront en déduire, sans risque de se tromper, qu'ils ont été découverts pendant leur sommeil, et qu'on a eu pitié d'eux, que je ne veux pas les tuer, ni moi ni personne dans mon royaume. Je vois au doigt de la reine sa bague avec une émeraude ; c'est moi qui la lui ai donnée, elle est de grande valeur, et j'ai de mon côté un anneau qui vient d'elle. Je lui ôterai du doigt la bague que je lui ai donnée.

---

se tromper sur la valeur des signes. Les objets jouent ici le rôle d'indices, d'ailleurs trompeurs, puis servent à composer un message, qui sera mal interprété. Ainsi l'épée, les gants et l'anneau proposent un rébus, mais leur signification est ambiguë.

1. Le sens du message ne sera pas découvert par les amants, car la communication symbolique n'est pas sûre. Il comprend trois éléments : 1. Tristan et Yseut ont été découverts ; 2. Marc a eu pitié d'eux ; 3. Personne ne veut les faire mourir. Trois objets sont porteurs de ce message : l'anneau, les gants, l'épée.

J'ai avec moi une paire de gants de fourrure qu'elle a apportée avec elle d'Irlande. Je m'en servirai pour protéger du rayon de soleil brûlant son visage, qu'il doit chauffer, et au moment de partir je prendrai l'épée qui les sépare, celle-là même qui décapita le Morholt. »

Le roi a délié ses gants, il regarde le couple endormi et, contre le rayon de soleil qui descend sur Yseut, il les place précautionneusement en écran[1]. Il voit la bague trop large pour le doigt et la retire doucement, sans faire bouger le doigt. La première fois, elle avait eu du mal à la mettre ; maintenant ses doigts sont si amaigris que la bague glisse sans effort ; le roi peut très facilement la retirer[2]. Quant à l'épée qui les sépare, il la retire doucement et met la sienne à la place[3]. Il ressort de la hutte, arrive à son cheval et vite remonte en selle. Au forestier il dit de se sauver : demi-tour ! Sa mission est terminée.

Le roi s'en va, il les laisse dormir. Pour cette fois il s'en sera tenu là. Il est rentré dans la cité. De plusieurs côtés on lui demande où il est resté si longtemps. Le roi leur dissimule la vérité, n'avouant pas

1. Les gants sont le signe d'une investiture ; Yseut se retrouve sous la dépendance du roi. Mais le geste marque ici surtout la protection, et même un sentiment de pitié et de tendresse.
2. La substitution des anneaux remet la reine sous le pouvoir de son mari, qui est aussi le roi (et cela prépare la restitution négociée par Ogrin). Mais l'anneau symbolise aussi l'union sexuelle. Par rapport à la lettre du message, la substitution des anneaux prouve que les amants ont été découverts.
3. La substitution des épées replace Tristan sous l'autorité féodale du roi. Mais l'arme est aussi un symbole phallique : le mari veut reprendre possession de sa femme.

l'endroit où il est allé, ni ce qu'il a cherché, ni ce qu'il a fait réellement.

Mais maintenant revenons au couple endormi que le roi a laissé dans la forêt. La reine rêvait qu'elle était dans une grande forêt, à l'intérieur d'une tente luxueuse. Deux lions s'approchaient d'elle, voulant la dévorer. Elle voulait leur crier de l'épargner, mais les lions affamés la prenaient chacun par une main. Sous le coup de la frayeur Yseut a poussé un cri et elle s'est réveillée[1]. Les gants garnis d'hermine blanche sont tombés sur sa poitrine.

Tristan s'éveille à son cri, la figure empourprée. Effrayé, il bondit sur ses pieds, il prend l'épée dans un mouvement de colère, regarde la lame, mais ne voit plus l'ébréchure[2]. Regardant le pommeau d'or au-dessus de la lame, il reconnaît l'épée du roi. Quant à la reine, elle découvre à son doigt la bague qu'elle avait donnée au roi, tandis que la sienne lui a été retirée. Elle se met à crier : « Seigneur, pitié ! Le roi nous a trouvés ici. » Et Tristan répond : « Ma dame, c'est vrai. Maintenant il nous faut quitter le Morroi, car nous avons de graves torts envers le roi. Il a mon épée, il me laisse la sienne. Il aurait bien

1. Le Moyen Âge, comme d'ailleurs l'Antiquité, attachait une grande importance à la signification cachée des rêves. Ici il est difficile de ne pas penser au partage d'Yseut entre Marc et Tristan.
2. Allusion est faite à l'ébréchure de l'épée de Tristan, après son combat contre le Morholt : un éclat de la lame est en effet resté dans le crâne de son adversaire. C'est à cet indice qu'Yseut avait reconnu le meurtrier de son oncle en la personne du blessé.

pu nous tuer[1]. — Seigneur, c'est vrai, c'est bien mon
avis. — Belle amie, alors il n'y a plus qu'à se sauver. Il
nous a laissés ainsi pour nous tromper. Il était seul,
il est allé chercher du monde. Il pense nous prendre,
c'est sûr. Dame, fuyons vers le pays de Galles. Mon
sang se glace. » Et Tristan devient tout pâle.

Sur ce, voici leur écuyer qui arrive avec le cheval.
Remarquant la pâleur de son seigneur, il lui demande
ce qu'il a : « Ma foi, maître, le noble roi Marc nous a
trouvés ici endormis. Il a laissé son épée, et emporté
la mienne. Je crains qu'il ne nous prépare quelque
trahison. Il a enlevé du doigt d'Yseut sa bague, la
belle bague, et il a laissé la sienne. Par cet échange
nous pouvons comprendre, maître, qu'il veut nous
tromper, car il était seul quand il nous a trouvés, il a
pris peur et il est reparti. Il est rentré pour aller
chercher du monde : il ne manque pas de gens har-
dis et fiers. Il les amènera, car il veut nous faire
mourir, moi et la reine Yseut. C'est en présence de
la population qu'il veut nous prendre, nous faire
brûler et disperser les cendres au vent. Fuyons, il ne
faut pas traîner par ici. » Ils auraient bien pu rester,
mais ils avaient peur, c'était plus fort qu'eux, car ils
savaient le roi cruel, irrité. Ils sont partis à toute
allure, dans la crainte du roi, à cause de ce qui venait
d'arriver. Ils ont traversé le Morrois, quittant la région ;

---

1. Tristan analyse brièvement la situation, donnant même une
interprétation erronée du message symbolique, en concordance
avec la peur d'Yseut. Son attention se concentre sur l'échange
des épées, dont le sens voulu par Marc était justement inverse :
on ne veut pas tuer les amants. Il n'a pas compris non plus les
gants, signe de pitié, alors qu'il prête au roi l'intention de les *trahir*,
de les prendre au piège.

la peur leur fait faire de grandes étapes. Ils sont partis tout droit vers le pays de Galles. L'amour leur
aura causé bien des souffrances : pendant trois
années entières ils ont souffert, leur corps a perdu
couleur et force[1].

Seigneurs, vous avez entendu dire comment ils ont
bu le vin qui leur a causé une si longue souffrance[2].
Mais vous ne savez pas, je crois, combien de temps
devaient durer les effets du *Lovedrink*[3], le vin herbé.
La mère d'Yseut, qui en avait fait la préparation, avait
fixé à trois ans la durée de son pouvoir amoureux.
Elle l'avait préparé pour Marc et pour sa fille : c'est
un autre qui en goûta, calamité pour lui. Durant ces
trois années, le vin avait eu tant d'influence sur Tristan et sur la reine que chacun d'eux disait : « Je ne
m'en lasse pas. »

C'est le lendemain de la Saint-Jean[4] qu'on arrive
au terme fixé des trois ans. Tristan s'était levé de sa

1. La durée de l'effet du philtre est ici fixée à trois ans, comme
aux p. 108 et 152. Chez Thomas elle est illimitée. Pour Eilhart, la
limite est de quatre ans. Le principe de la limitation est essentiel
à la signification du texte de Béroul, qui compare le comportement des amants avant et après cette limite.

2. L'appel au public marque le début d'un nouvel épisode qui
va nous parler du désenchantement. La reprise en début de para-
graphe des renseignements donnés à la fin de l'épisode précédent
permet de ménager une pause dans la lecture. Le vin en question
est le *vin herbé*, élixir à base de végétaux, qui soumet ceux qui le
boivent aux forces de la nature.

3. Les deux noms du breuvage d'amour ont des connotations dif-
férentes. Le premier désigne nettement un aphrodisiaque, et a une
résonance anglo-saxonne ; le second est d'allure plus folklorique.

4. La fête de la Saint-Jean est une date importante du calendrier folklorique ou païen. Elle correspond au solstice d'été, suggérant un partage du temps.

couche. Yseut était restée dans la hutte de feuillage.
Tristan, sachez-le, a tiré une flèche contre un cerf
qu'il avait pris pour cible. Il lui a percé les flancs de
part en part. Le cerf s'enfuit, Tristan le poursuit. Le
soir était tombé sans que cesse la poursuite. Tandis
qu'il court après la bête, voici qu'arrive l'heure où il
avait bu le *Lovedrink*. Alors il s'arrête. En lui-même
surgissent ces paroles de repentir : « Ah ! Dieu, tout
ce tourment ! Voilà trois ans aujourd'hui que je suis
livré à une peine continuelle, le dimanche comme en
semaine. J'ai renoncé à la vie de chevalier, à la fré-
quentation de la cour et des barons. Je suis exilé de
notre pays. Je suis privé de tout, fourrures de vair et
de petit-gris[1]. Je ne suis plus à la cour avec les chevaliers. Dieu ! mon cher oncle m'aimerait tellement si
je ne m'étais pas mal conduit à son égard ! Ah ! Dieu,
tout va si mal pour moi ! Je devrais me trouver à la
cour avec le roi, avoir cent damoiseaux avec moi, qui
apprendraient le métier des armes et seraient à mon
service. Je devrais aller dans un autre pays pour me
mettre à la solde d'un autre et gagner de l'argent. Et
je suis contrarié pour la reine à qui je donne une
hutte pour palais. Elle vit dans les bois, alors qu'elle
pourrait être avec sa suite dans de belles chambres
tapissées de draps de soie. C'est à cause de moi qu'elle
a mal tourné. J'en demande pardon à Dieu qui est
le souverain du monde, en le priant de me donner
le courage de rendre à mon oncle sa femme pour

---

1. Les fourrures d'écureuil, au dos gris et au ventre blanc, sont
appelées *vair*, quand elles sont entières, donc de couleur alternée,
gris, ou *petit-gris*, quand on utilise seulement le dos. Les deux
qualités réunies suggèrent le luxe, ou simplement le confort.

rétablir la paix entre eux[1]. Je fais la promesse à Dieu
que je le ferais volontiers à condition qu'Yseut puisse
se réconcilier avec le roi Marc à qui elle a été mariée,
hélas ! en présence de nombreux et puissants personnages, selon les rites de la loi romaine ! »

Tristan s'appuie sur son arc ; il exprime beaucoup
de regrets pour le roi Marc, son oncle, à qui il a fait
tant de mal en le brouillant avec sa femme. C'est ainsi
que Tristan, ce soir-là, se lamente. Quant à Yseut,
écoutez ce que sont ses sentiments. Elle répète :
« Hélas ! malheureuse, qu'as-tu fait de ta jeunesse ?
Te voilà dans les bois comme une simple esclave, sans
personne pour te servir. Je suis reine, mais j'en ai
perdu le titre à cause du philtre que nous avons bu
pendant le voyage en mer. C'est à cause de Brengain,
qui aurait dû mieux le garder[2] ! La malheureuse, elle
s'est bien mal acquittée de sa garde ! Mais elle n'y
pouvait rien, ce fut une grave méprise. Je devrais avoir
des demoiselles d'honneur, les filles des nobles vavas-
seurs[3], en ma compagnie, dans mes appartements,
pour me servir, et j'aurais la responsabilité de les
marier aux seigneurs en leur procurant une bonne
dot. Tristan, mon ami, c'est une catastrophe qu'a

1. Cet appel à Dieu, qui n'est guère préparé par ce qui précède,
peut apparaître comme un coup d'État de la Grâce. En tout cas
nous sommes bien sur le chemin du repentir.
2. La responsabilité de la méprise varie selon les traditions. De
toute façon, Brengain avait la garde de la potion préparée par la
reine d'Irlande. Yseut est ici plus soucieuse que Tristan de se disculper.
3. Le vavasseur est au degré inférieur de l'échelle nobiliaire : il
n'a pas de vassal.

provoquée pour nous celle qui nous apporta le breuvage d'amour à boire ensemble ; elle ne pouvait pas
nous mettre dans un plus mauvais chemin. »

Tristan lui dit : « Noble reine, nous perdons notre
jeunesse à vivre dans le mal. Belle amie, si seulement
je pouvais, par l'entremise d'un bon conseiller, nous
raccorder avec le roi Marc, de telle sorte qu'il nous
pardonne, renonce à sa rancune et accepte notre justification[1]. Nous lui dirions que jamais, par nos actes
ni par nos paroles, nous n'avons eu de relations coupables, susceptibles de le déshonorer, et qu'aucun
chevalier de son royaume, depuis Lidan jusqu'à
Durham[2], ne pourrait soutenir qu'au contraire j'ai eu
pour vous un amour déshonorant, sans me trouver
tout armé, prêt à me battre contre lui en champ clos.
Et si le roi voulait bien, une fois que vous vous seriez
justifiée, m'admettre dans sa suite, je le servirais en

---

1. L'idée de cette justification officielle surprend par son impudence. Mais la suite du monologue suggère une distinction entre
l'aspect subjectif et l'aspect objectif de la faute : objectivement
coupables, les amants sont subjectivement innocents, jusqu'à
présent du moins, parce qu'ils étaient sous l'influence de la magie
du philtre. Ils aspirent à se débarrasser de leur péché, même s'ils
ne suivent pas spontanément la voie tracée par les théologiens
dont l'ermite Ogrin s'inspire. Le récit semble s'acheminer vers
une conclusion édifiante, celle d'une erreur réparée. Qu'ils retombent ensuite dans le péché, c'est une autre affaire, celle justement de la *fine amor* dont ils vont s'inspirer dans la séparation
volontaire.

2. Du sud (Caer Lidan, en Cornouailles) au nord (Durham).
Une autre hypothèse identifiait Lidan avec Lidford dans le
Devonshire, mais il faut revenir à la Cornouailles.

tout bien tout honneur, comme il convient à l'égard
d'un oncle et d'un suzerain : il n'y a, à sa solde, en son
royaume, personne qui puisse mieux le servir[1] à la
guerre que je ne le ferais alors. Mais si c'était sa volonté de vous reprendre et de me renvoyer, n'ayant
pas besoin de mes services, je m'en irais rejoindre le
roi de Frise[2], ou bien je passerais en Bretagne avec
Governal pour toute compagnie.

« Noble reine, où que je sois, je me dirais toujours
à vous[3]. Je n'aurais pas voulu cette séparation, si notre
vie commune n'avait pas entraîné les dures privations
que vous connaissez — que vous avez endurées si
longtemps — à cause de moi, dans cette nature sauvage. C'est par ma faute que vous êtes privée du titre
de reine. Vous pourriez vivre avec honneur dans vos
appartements, avec votre mari, s'il n'y avait eu, dame,
le philtre qu'on nous a donné en mer. Noble et belle
Yseut, dites-moi ce que nous allons faire. — Seigneur,
rendons grâce à Jésus puisque vous voulez renoncer
au péché. Ami, rappelez-vous l'ermite Ogrin, qui nous
prêcha les commandements de l'Écriture et nous
sermonna si longuement, quand vous vous rendîtes

1. Le service guerrier est le premier devoir du vassal envers
son seigneur.
2. Frise doit être Friesland en Écosse. Cette localisation a en-
couragé certains à faire de Tristan un Écossais. Mais à ce
compte-là on pourrait aussi en faire un Breton d'après le vers suivant ! En fait, le Tristan de Béroul évolue en Cornailles, entre
Tintagel et le Mont-Saint-Michel, surtout dans la vallée de la
rivière Fal. Quand le cadre s'élargit, c'est pour suggérer un lointain exil, différent du refuge dans la forêt du Morroi.
3. Surgit ici le thème de la fidélité dans la séparation, qu'il
sera difficile de concilier avec celui du repentir.

là où il habite, à la lisière de la forêt. Cher doux ami,
si maintenant vous aviez le cœur tourné au repentir,
cela ne pourrait mieux arriver. Seigneur, retournons
sur nos pas jusqu'à lui. Je suis sûre d'une chose, c'est
qu'il nous donnerait un conseil conforme à l'honneur,
par quoi nous pourrions encore parvenir à la joie
éternelle. » Tristan l'écoute, pousse un soupir et dit :
« Reine de haute noblesse, retournons à l'ermitage dès
ce soir ou demain matin. Avec l'aide de maître Ogrin
faisons savoir au roi notre intention, par lettre et sans
autre message. — Ami Tristan, vous avez bien raison.
Au tout-puissant Roi des cieux demandons grâce tous
les deux pour qu'Il ait pitié de nous, Tristan, mon
ami ! » Ils rentrent dans le bocage et ils marchent
jusqu'à l'ermitage. Les deux amants y arrivent ensemble. Ils trouvent l'ermite Ogrin en train de lire[1].
Quand il les voit, il les appelle gentiment. Ils s'as-
seyent dans la chapelle : « Pauvres proscrits, dans
quelle grave souffrance la force de l'amour vous a-
t-elle entraînés ! Combien de temps durera donc
votre folie ? Vous avez mené cette vie trop longtemps.
Allons, c'est le moment de vous repentir ! » Tristan
lui répond : « Écoutez-moi donc. Nous avons mené
cette vie si longtemps parce que telle était notre destinée[2]. Il y a bien trois ans, tout bien compté, que

1. Seconde visite à Ogrin, cette fois avec des sentiments qui
ressemblent au repentir : c'est ainsi que l'ermite va les interpréter.
Ogrin est en train de lire, et c'est justement de sa compétence de
clerc, de lettré, que les amants ont le plus besoin pour le moment
(on va lui demander d'écrire la lettre au roi).
2. L'ermite leur parle de repentir, mais Tristan va répondre
en un langage dénué de préoccupations théologiques : *Telle était*

nous ne connaissons aucun répit dans notre tourment.
Si maintenant vous pouvez trouver une solution pour
réconcilier la reine avec le roi, je ne chercherai plus
jamais à me trouver sous l'autorité du roi Marc, mais
je partirai avant un mois en Bretagne ou en Loonois[1].
Mais si mon oncle veut bien me permettre de le servir
à sa cour, je le servirai comme il faut. Seigneur, mon
oncle est un riche roi . . . . Donnez-nous
le meilleur conseil, au nom de Dieu, sur ce que vous
avez entendu, et nous ferons ce que vous voudrez. »

Seigneurs, apprenez maintenant ce que fait la reine.
Elle se jette aux pieds de l'ermite et le prie sincèrement de les réconcilier avec le roi, tout en exprimant cette plainte : « Plus jamais de ma vie je n'aurai
le cœur à faire une telle folie[2]. Je ne dis pas, compre-
nez-moi bien, que je me repente d'avoir un temps
aimé Tristan ni que je ne veux plus l'aimer en toute
amitié, sans qu'il y ait déshonneur. Mais l'union charnelle de nos deux corps a maintenant pris fin. » En
l'entendant parler, l'ermite verse des larmes, et il rend
grâce à Dieu pour les paroles qu'il vient d'entendre :
« Ah ! Dieu, beau Roi tout-puissant, je vous rends

---

notre destinée. La formule est claire, et résume dans son fatalisme
toutes les raisons que les coupables ont de se dire innocents.

1. Le *Loenois* ou *Loonois* est la terre du roi Loth, en Écosse.

2. La folie, c'est-à-dire la passion d'un amour coupable, a pris
fin. Yseut renonce à l'union charnelle avec Tristan. Elle parle
donc de « bonne amour », se substituant à « folle amour », dans
l'honneur. Mais elle ne veut pas se repentir d'avoir aimé Tristan.
Cette réserve n'est peut-être pas conforme à la doctrine de l'ermite, mais il se satisfait de ce qu'il entend puisqu'il en rend grâce
à Dieu.

grâce de tout mon cœur, puisque vous m'avez laissé vivre assez longtemps pour que ces deux pécheurs aient l'occasion de venir me consulter au sujet de leur péché[1]. Puissé-je vous en savoir gré autant qu'il convient. Je jure, sur ma foi et ma loi, que je vous donnerai un bon conseil. Tristan, écoute-moi un peu puisque tu es venu jusqu'à mon ermitage, et vous, reine, prêtez attention à mes paroles, cessez vos folies !

« Quand un homme et une femme sont tombés dans le péché, s'ils se sont d'abord donnés l'un à l'autre et puis se sont quittés, et s'ils viennent à pénitence en éprouvant un repentir sincère, Dieu leur pardonne leur faute, quelle que soit sa gravité, et sa laideur. Tristan, et vous, reine, écoutez-moi un peu, prêtez-moi attention. Pour effacer la honte et couvrir le mal, on peut bien mentir un peu. Puisque vous m'avez demandé conseil, je vais vous en donner un sans tergiverser. Je vais écrire une lettre sur parchemin[2]. On commencera par des salutations — on l'enverra à Lancien[3]. Faites savoir au roi, tout en le saluant, que vous êtes en forêt avec la reine, mais que, s'il voulait reprendre possession[4] de sa femme et lui

---

1. La doctrine du péché et du repentir va être reformulée clairement ensuite. Nous trouvons ici les trois mots clés de la doctrine : pénitence, repentance et pardon.
2. La lettre va nous donner un résumé des aventures de Tristan. L'allusion à la formule de salutation fait partie de la définition d'une lettre.
3. Lancien est Lantyan, village de Cornouailles dans la paroisse de Saint-Sampson.
4. Il s'agit ici du pouvoir, de l'autorité et même de la propriété du suzerain par rapport à son vassal.

pardonner sans rancœur, vous seriez même d'accord
pour vous rendre à sa cour. Alors il n'y aurait plus
personne, d'intelligent ou de courageux, pour dire
que vous avez eu une liaison coupable ; sinon, que le
roi Marc vous fasse pendre si vous ne pouvez pas
prouver votre innocence par les armes.

« Tristan, j'ose te donner ce conseil parce que tu
ne risques pas de trouver un rival pour s'engager
contre toi[1]. Je te donne ce conseil en toute bonne foi.
Le roi ne peut y trouver d'objection. Quand il voulait vous faire mettre à mort et vous brûler sur un
bûcher, c'est le nain (les gens de la cour comme le
peuple ont pu le voir) qui n'a pas voulu d'un procès
normal. Mais Dieu vous a accordé la grâce d'en
réchapper, comme il est de notoriété publique, car
sans le secours de Dieu vous seriez mort dans le déshonneur. Vous avez fait un tel saut que personne,
depuis Constantine jusqu'à Rome, n'aurait pu y assister sans en être effrayé. Alors la peur vous a donné
des ailes. Vous avez secouru la reine et ensuite vous
êtes resté en forêt. Mais c'est vous qui l'aviez amenée
de son pays pour la donner au roi en mariage. Vous
avez fait tout cela, il le sait bien. Les noces furent
célébrées à Lancien. C'eût été mal de votre part de
faire défaut à la reine. Vous avez préféré vous sauver
avec elle[2]. S'il veut bien accepter votre justification

---

1. Même idée p. 63. Ogrin, sans être persuadé de l'innocence
de Tristan, a confiance en sa force pour gagner tout combat judiciaire : c'est un bon conseil, sans danger pour lui, malgré les apparences. Et l'argument doit être décisif pour convaincre le roi.
2. L'ermite récrit cette histoire, introduisant une interprétation des faits favorable à Tristan. Celui-ci devait agir comme il l'a
fait, depuis son arrestation.

au vu et au su de tout le monde, petits et grands, vous proposerez que cela ait lieu à la cour. Et si cela lui semble convenable, une fois bien établie votre loyauté, qu'il reprenne, avec l'accord de ses vassaux, sa courtoise épouse. Et puis, si vous voyez que cela ne lui déplaît pas, vous resterez avec lui à sa solde. Mais s'il refuse vos services, vous traverserez la mer de Frise et vous irez servir un autre roi. Tel sera le message de la lettre. — J'en suis d'accord, à condition qu'on ajoute quelque chose, messire Ogrin, si vous voulez bien, sur le parchemin, car je n'ose avoir confiance en lui, puisqu'il a lancé un avis de recherche contre moi. Mais je lui demande, comme à mon seigneur que j'aime de réelle amitié, qu'il fasse rédiger une autre lettre où il ferait consigner en détail sa décision. Qu'il fasse accrocher la lettre à la Croix Rouge au milieu de la lande[1], par ordre exprès. Je n'ose lui faire savoir où je me trouve, car je crains qu'il ne me crée des ennuis. Mais je me fierai à sa lettre quand je l'aurai, et je ferai tout ce qu'il voudra. Maître, que l'on scelle ma lettre et que sur le ruban du sceau vous écriviez : *Vale !* Ce sera tout pour cette fois[2]. » L'ermite Ogrin se lève, prend une plume, de l'encre et du parchemin, et transcrit tout ce qui vient d'être dit. Cela fait, il prend une bague dont il enfonce la pierre dans la cire. La lettre une fois scellée, il la tend à Tristan, qui la reçoit avec reconnaissance. « Qui la portera ? dit l'ermite. —

1. C'est à cette Croix Rouge que le roi Marc avait donné rendez-vous au forestier (p. 96).
2. *Vale* : formule de salut en latin classique. La suite signale l'arrêt de la dictée.

C'est moi qui la porterai. — Tristan, ne dites pas
cela. — Mais si, seigneur, je pourrai très bien le
faire. Je connais bien les lieux, à Lancien. Messire
Ogrin, si vous le voulez, la reine restera ici. Sans tarder, quand il fera sombre et que le roi dormira à
coup sûr, je monterai sur mon destrier et j'emmènerai
avec moi mon écuyer. À l'extérieur de la ville, il y a
une pente : c'est là que je descendrai de cheval, puis
je m'avancerai à pied[1]. Mon maître gardera mon
cheval, le meilleur qu'on ait jamais vu chez les laïcs
ou les prêtres. »

Le soir même, après le coucher du soleil, quand la
nuit devint plus épaisse, Tristan partit avec son maître écuyer. Il connaissait bien le pays et les lieux. Les
voilà arrivés à la ville de Lancien, au terme de leur
voyage. La sonnerie des guetteurs retentit à merveille.
Tristan descend dans le fossé et parvient rapidement
dans la grande salle. La peur l'envahit. Parvenu à la
fenêtre de la chambre où dort le roi[2], il l'appelle
doucement (ce n'est pas le moment d'alerter tout le
monde par des cris). Le roi s'éveille et demande aussitôt : « Qui es-tu pour venir à une heure pareille ?
As-tu une affaire urgente ? Dis-moi ton nom ! —
Sire, on m'appelle Tristan. J'apporte une lettre ; je la
mets ici sur le rebord de la fenêtre intérieure. Je

---

1. Ici le récit est moins clair. La ville est-elle en contrebas de
cette pente ? Tristan descend de cheval, en tout cas, avant de pénétrer en ville : le récit note systématiquement le rapport avec le
cheval.
2. Cette fenêtre peut donner sur la salle, depuis la chambre du
roi, lui permettant d'avoir l'œil sur ce qui s'y passe. Le terme
pourrait désigner toute l'embrasure faisant alcôve.

n'ose pas vous parler plus longtemps. Je vous laisse la lettre, je n'ose pas rester. »

Tristan s'en va, le roi bondit ; à trois reprises il l'appelle en criant. « Par Dieu, cher neveu, attends ton oncle ! » Le roi met la main sur la lettre. Tristan s'en va sans s'attarder ; il ne fait pas semblant de se dépêcher ! Il rejoint son écuyer qui l'attend, et se remet lestement en selle. Governal lui dit : « Es-tu fou ? Dépêche-toi ! Allons-nous-en par les voies écartées ! » Ils ont tant marché dans le bocage qu'ils arrivent avec le jour à l'ermitage. Les voilà entrés. Ogrin priait du mieux qu'il pouvait le Roi des cieux pour lui demander de ramener Tristan et son écuyer Governal sans encombre. Leur vue le remplit de joie et il rend grâce au Créateur. Quant à Yseut, il ne faut pas demander si elle avait peur en attendant leur retour. Elle n'avait cessé, depuis leur départ, la veille au soir, et jusqu'à leur réapparition devant elle et l'ermite, d'essuyer les larmes de ses yeux. À leur arrivée elle leur demanda . . . . ce que Tristan a fait ; elle n'était pas folle. « Ami, dis-moi, sur ton salut, as-tu donc été pendant tout ce temps à la cour du roi ? » Tristan leur a tout raconté, comment il est allé à la ville, comment il a parlé au roi, comment le roi l'a rappelé, la lettre qu'il a laissée, enfin comment le roi l'a trouvée.

« Mon Dieu, dit Ogrin, je te rends grâces ! Tristan, sachez-le, sous peu vous aurez des nouvelles du roi Marc. » Tristan descend de cheval et dépose son arc. À partir de ce jour, ils séjournent à l'ermitage.

Le roi fait réveiller ses barons. Mais d'abord il a convoqué son chapelain ; il lui tend la lettre qu'il a à la main. L'autre brise le sceau et lit la lettre. C'est, en tête, le nom du roi à qui Tristan envoyait ses salutations. Puis il déchiffre rapidement tous les mots et il communique le contenu de la lettre au roi qui l'écoute sagement. Il est extrêmement heureux, car il aime beaucoup sa femme. Il fait donc réveiller ses barons, ceux qu'il estime le plus étant convoqués individuellement. Et quand ils furent tous arrivés, le roi a pris la parole, tous les autres ayant fait silence : « Seigneurs, on m'a remis la lettre que voici. Je suis votre roi, vous êtes mes vassaux. Qu'on lise la lettre, écoutez-la, et quand on aura fini la lecture du message, donnez-moi votre avis, je vous le demande. C'est votre devoir que de me donner conseil. »

Dinas s'est levé le premier. Il dit à ses pairs[1] : « Seigneurs, écoutez-moi ! Et si vous avez l'impression que je n'ai pas raison, vous n'avez qu'à négliger mon opinion. Que celui qui aura une meilleure idée la dise, à condition de parler sagement et d'éviter les sottises. La lettre qui nous est communiquée ici vient d'on ne sait quel pays. Qu'on nous la lise d'abord, et puis, selon le contenu du message, si quelqu'un a une bonne suggestion à faire, qu'il la fasse. Mais je ne saurais vous laisser perdre de vue cette vérité : quiconque donne un mauvais conseil à son seigneur légitime commet le plus grave des crimes. »

---

1. Cette assemblée doit d'abord établir son ordre du jour : c'est Dinas qui propose la procédure à suivre.

Les gens de Cornouailles disent au roi : « Dinas a parlé on ne peut mieux. Révérend Père, lisez la lettre de bout en bout, nous écouterons tous. » Le chapelain s'est levé, il ouvre la lettre de ses deux mains et, debout devant le roi, dit : « Allons, écoutez et faites attention. Tristan, le neveu de notre roi, lui adresse d'abord ses salutations et ses amitiés, ainsi qu'à tous les barons[1] : "Roi, tu te rappelles bien le mariage de la fille du roi d'Irlande. Je suis allé en mer jusqu'à ce lointain pays ; je l'ai conquise par la force, en tuant le grand dragon ; grâce à quoi on me l'a donnée. Je l'ai amenée dans ton pays. Roi, tu l'as prise pour épouse sous les yeux de tes chevaliers. Tu avais vécu peu de temps avec elle quand des intrigants de ta cour t'ont fait croire des mensonges. Je suis tout prêt à vous donner des gages pour le cas où quelqu'un voudrait l'accuser, en vue de la disculper, sire, par un combat à pied ou à cheval (chacun aurait armes et cheval) ; je jurerais sur ma vie qu'elle n'a jamais eu pour moi d'amour coupable, ni moi pour elle. Si je ne puis la disculper ni me justifier devant ta cour, alors fais-moi affronter en jugement ton armée, sans exclure personne. Il n'y a aucun baron qui, pour me détruire, ne rêve de me faire condamner au bûcher. Sire, mon cher oncle, vous savez bien que, dans votre colère, vous avez voulu nous faire brûler ; mais Dieu

---

1. La lettre de Tristan est un résumé de la carrière du héros, remontant à la quête d'Yseut, faisant allusion aux dénonciations, à leur condamnation, à leur évasion, à leur vie dans la forêt. Puis elle offre la restitution d'Yseut. Ce texte est à comparer à celui des p. 110-112, lors de l'élaboration de la lettre.

a eu pitié de nous, et nous avons rendu grâces à Notre-Seigneur. Par bonheur la reine a fini par s'échapper. Ce n'était que justice, je le jure, car vous n'aviez aucune raison de vouloir lui donner la mort. Je m'étais échappé en sautant d'une haute falaise jusqu'en bas. Cependant la reine était livrée aux lépreux en guise de torture. Je l'ai enlevée à son ravisseur et je l'ai emmenée, restant depuis à ses côtés. C'était mon devoir que de ne pas lui faire défaut, puisqu'elle devait injustement mourir à cause de moi. Depuis j'ai vécu avec elle dans les bois, car je n'osais pas me montrer à découvert. Vous avez demandé par une proclamation que l'on nous prenne et nous livre à votre justice. Vous nous auriez fait brûler ou pendre. C'est pour cette raison qu'il nous fallait fuir. Mais si c'était votre volonté de reprendre Yseut au clair visage, vous n'auriez pas de baron en ce pays qui vous servît mieux que je ne le ferais. Si l'on vous amène à prendre une autre décision et à refuser mes services, je m'en irai chez le roi de Frise ; jamais vous n'entendrez plus parler de moi, et je passerai outre-mer.

Sur ces propositions, roi, consultez vos barons. Je ne peux plus supporter cette angoisse. Ou bien je me mettrai d'accord avec vous, ou bien je ramènerai la fille du roi d'Irlande au pays où je l'ai trouvée, et elle y sera reine." » Le chapelain dit au roi : « Sire, il n'y a rien de plus dans cette lettre. » Les barons ont entendu la requête de Tristan : il leur offre de se battre pour la fille du roi d'Irlande. Les barons de Cornouailles sont unanimes : « Roi, reprends ta

femme, disent-ils. Ils n'ont jamais eu de bon sens
ceux qui ont dit sur la reine ce que l'on entend
raconter par ici. Nous ne pouvons pas te conseiller
de laisser Tristan de ce côté de la mer. Mais qu'il aille
chez le riche roi de Gavoie[1] à qui le roi d'Écosse fait
la guerre. Là-bas il pourra faire ses preuves, et vous
pourrez en entendre parler. Alors, vous le rappelle-
rez pour qu'il revienne, autrement nous ne saurons
pas où il ira. Écrivez-lui de reconduire la reine ici
sans tarder. » Le roi appelle son chapelain : « Dépêchez-vous d'écrire cette lettre. Vous avez entendu ce
que vous devez y mettre. Hâtez-vous de la faire, je
suis impatient, voilà longtemps que je n'ai vu la belle
Yseut. Elle a vraiment trop souffert dans sa jeunesse.
Et quand la lettre sera scellée, accrochez-la à la
Croix Rouge. Qu'elle soit en place cette nuit même !
Ajoutez-y mes salutations. » Quand le chapelain l'eut
écrite, il la fit accrocher à la Croix Rouge.

Tristan ne dormit pas cette nuit-là. Avant minuit
il eut traversé la Blanche Lande, et il rapporte le
document scellé, car il connaît bien les lieux, en
Cornouailles. Il revient trouver Ogrin et lui donne le
document. L'ermite le prend, lit le message, constate
la noblesse du roi qui met fin à sa rancune contre
Yseut et manifeste son intention : il la reprendra dans
de bons sentiments. Il voit aussi le délai fixé pour la
réalisation de l'accord. Alors il va parler comme il
convient, en homme qui croit en Dieu :

« Tristan, quelle joie t'est préparée ! On a bien

1. *Gavoie*, Galloway, ancien royaume écossais.

reçu ton message, et le roi reprend la reine. C'est ce que ses gens lui ont conseillé de faire, mais ils n'osent pas lui recommander de te retenir à sa solde, il faut que tu ailles dans un autre pays servir un roi à qui l'on fait la guerre, pendant un an ou deux. Si le roi y consent, tu reviendras ensuite près de lui et d'Yseut. D'ici deux jours, sans faute, le roi sera prêt à la recevoir. C'est devant le Gué Aventureux que doit avoir lieu l'entrevue. C'est là que tu la lui rendras, c'est là qu'il la prendra en charge. Cette lettre ne donne pas d'autre détail[1].

— Dieu ! dit Tristan, quelle séparation ! On est très triste de perdre son amie. Mais il faut l'accepter, en raison des grandes privations que vous avez endurées pour moi. Vous n'avez vraiment pas besoin de souffrir davantage[2]. Le moment venu de nous séparer, je vous donnerai mon gage d'amour, et vous me donnerez le vôtre, belle amie. Quel que soit le pays où je me trouverai, ni paix ni guerre ne m'empêcheront de vous envoyer des messages[3]. Belle amie, dites-moi de votre côté exactement ce qui vous ferait plaisir. »

Yseut pousse un grand soupir et répond[4] : « Tristan, écoute un peu. Laisse-moi Husdent, ton chien.

---

1. Ogrin traduit la lettre en style direct, prenant à son compte l'accord proposé.

2. Une fois dissipé l'effet du philtre, subsiste ce qu'il y a de plus beau dans l'amour : le choix du bonheur de l'autre, de préférence à un intérêt égoïste.

3. Ce passage de leur liaison fatale à l'amour librement consenti, les rites qui soulignent l'engagement montrent l'importance de ce nouvel amour, ou de cette nouvelle forme de l'amour, qui s'apparente à la *fine amor*.

4. De son côté Yseut définit un nouveau rituel d'engagement réciproque, avec l'échange de dons qui ont valeur symbolique : le

Jamais pour un chien de chasse on n'aura montré tant d'égards que pour celui-là, mon cher ami. Quand je le verrai, je pense, je me souviendrai de vous souvent. Si j'ai le cœur très triste, sa vue me rendra la joie. Jamais depuis les tables de la Loi un animal n'aura eu un si bon gîte ni n'aura couché dans un meilleur lit.

« Tristan, mon ami, j'ai un anneau avec un sceau de jaspe vert. Mon beau seigneur, pour l'amour de moi, portez cet anneau à votre doigt. Et s'il vous arrive de souhaiter m'envoyer un mot par un messager, je vous l'affirme, et sachez-le bien, je ne croirai que celui qui me montrera cet anneau. Mais aucune interdiction, même royale, ne m'empêchera, si je vois l'anneau — que ce soit raisonnable ou non —, de faire ce que me dira celui qui m'apportera cet anneau, pourvu que ce soit conforme à notre honneur. Je vous le promets au nom de notre pur amour. Ami, me ferez-vous ce don, le vaillant Husdent, avec sa laisse ? » Et Tristan répond : « Mon amie, je vous donne Husdent en gage d'amour. — Seigneur, je vous remercie, et puisque vous m'avez transmis le chien en toute propriété, voici l'anneau, en échange. » Elle le retire de son doigt, il le met au sien. Tristan donne un baiser à la reine et elle le lui rend : les formalités de la saisine sont ainsi respectées[1].

_____

chien de Tristan contre l'anneau d'Yseut. Ce dernier permettra d'identifier les messages. L'animal sera le substitut de son maître pour recevoir les témoignages d'affection.

1. Allusion ironique au baiser concluant un accord, selon un rituel féodal.

L'ermite se rend au Mont-Saint-Michel[1] où l'on trouve tout ce qu'il y a de plus riche. Il achète des fourrures de vair et de petit-gris, des vêtements de soie et de pourpre, des étoffes d'écarlate et du linge blanc, plus beau que fleur de lis, et un palefroi qui marche à l'amble et tout harnaché d'or luisant. L'ermite Ogrin achète tant de choses, au comptant et à crédit, en marchandant, soieries, fourrures de vair et de petit-gris ou d'hermine, qu'il peut habiller richement la reine. Par toute la Cornouailles le roi a fait annoncer qu'il se réconcilie avec son épouse : « Devant le Gué Aventureux sera scellée notre réconciliation. » Partout la nouvelle s'en est répandue. Il n'y a chevalier ni dame qui s'abstienne de venir à la cérémonie. Tous avaient beaucoup regretté la reine. Elle était aimée de tout le monde, sauf des traîtres — puisse Dieu les punir ! Les quatre ont eu leur récompense[2] : deux sont morts par l'épée, un troisième a été tué par une flèche. Ils ont connu une mort violente

1. Il est question ici de Saint Michael de Cornouailles, en Angleterre. On trouvait sur cette île rocheuse un couvent, qui a été donné à l'abbaye du Mont-Saint-Michel dans la baie normande.
2. L'annonce qui suit a fait couler beaucoup d'encre, car elle ne correspond pas aux événements, semble-t-il, puisqu'on retrouve trois félons, après la mort de l'un d'eux, et que la fin du forestier ne survient pas comme il est ici prévu (voir p. 161). On en a déduit que deux auteurs se sont succédé. Cela n'expliquerait pas pourquoi le second n'aurait pas su lire le premier. En fait nous sentons ici une articulation importante dans la création, due sans doute à un changement d'attitude à l'égard de la source ou du modèle. Quant à l'erreur concernant le nombre des félons, elle peut résulter du statut particulier du forestier, qui tantôt est inclus, tantôt exclu du groupe des opposants, et finalement se dédouble.

dans leur pays. Quant au forestier qui dénonça les amants, il n'a pas échappé non plus à une mort cruelle, car Périnis, le noble et blond compagnon, le tua d'un coup de bâton dans le bois. C'est ainsi que Dieu vengea les amants de leurs quatre ennemis, voulant abattre leur farouche orgueil.

Seigneurs[1], le jour de la rencontre, le roi Marc se trouvait au rendez-vous avec une suite impressionnante. On avait planté maints pavillons et maintes tentes pour les barons. La prairie en était couverte à perte de vue. Tristan chevauche en compagnie de son amie. Il avance et aperçoit la borne. Sous son bliaud il a revêtu son haubert, car il craint beaucoup pour sa vie en raison du tort qu'il avait fait au roi. Il voit les tentes dans la prairie et reconnaît le roi avec la foule de ses gens rassemblés. Il parle à Yseut avec douceur : « Dame, vous gardez Husdent. Je vous prie, pour l'amour de Dieu, de veiller sur lui. Comme vous m'avez aimé, aimez-le donc. Voilà le roi, votre époux, et avec lui ses hommes, ses vassaux. Nous ne pourrons plus continuer longtemps notre conversation. Je vois venir les chevaliers, le roi et ses soldats. Dame, ils viennent à notre rencontre. Au nom de Dieu, puissant et glorieux, si je vous envoie un message, quelle qu'en soit l'urgence, dame, agissez conformément à ma volonté. — Tristan, mon ami, écoutez-moi. Au nom de la fidélité que je vous dois, si vous ne m'envoyez pas cet anneau qui est à votre doigt pour que

---

1. À partir d'ici, le texte français s'écarte du poème d'Eilhart. On va nous raconter maintenant la séparation des amants.

je puisse le voir, je ne croirai à rien de ce que le messager me dira. Mais dès que je reverrai l'anneau, il
n'est tour ni muraille ni château fort qui puisse
m'empêcher de faire aussitôt ce que mon amant me
demandera de faire, dans l'honneur et la dignité,
pourvu que je sache que c'est bien ce que vous voulez[1]. — Dame, dit-il, que Dieu vous soit reconnaissant ! » Il l'attire à lui, et l'entoure de ses bras. Yseut
lui parle encore, elle n'est pas sotte : « Ami, écoute
bien mes paroles ! — C'est avec plaisir que je
t'écoute. — Tu me ramènes, car tu veux me rendre
au roi sur le conseil d'Ogrin, l'ermite, à qui je souhaite de bien terminer sa vie. Mais, par Dieu, je te
prie, mon bien-aimé, de ne pas quitter ce pays avant
que tu ne saches comment le roi se comportera envers moi, et s'il se montre rancunier et fuyant. Je te
prie, moi qui suis ta chère amie, d'aller, une fois que
le roi m'aura reprise avec lui, chez le forestier[2], pour
te loger là-bas. J'espère que ce séjour que tu feras
pour moi ne t'ennuiera pas. Nous avons dormi là plus
d'une nuit dans le lit qu'il nous avait préparé . . . . .
Les trois traîtres qui cherchent à nous nuire finiront
mal au bout du compte : leurs cadavres seront étendus

1. Yseut a été prompte à exprimer sa soumission à Tristan,
avec une restriction marquant son souci de l'honneur et de la
loyauté, dont on ne voit pas bien toutes les conséquences. Malgré
leur apparent repentir et toutes leurs bonnes résolutions les
amants reprendront leur liaison la plus charnelle. En fait Yseut
prend surtout des précautions, en ne se privant pas du secours
éventuel de Tristan ; c'est qu'elle n'est pas très rassurée sur les
intentions réelles du roi.
2. Nous n'avons pas encore entendu parler de ce forestier
dévoué à la reine.

par terre, mon tendre ami, mais ils me font peur.
Que l'enfer s'ouvre pour les engloutir ! Je les redoute,
car ils sont perfides. Dans le bon souterrain, sous la
cabane, tu auras trouvé un abri[1], mon ami. Je te ferai
parvenir par Périnis les nouvelles de la cour du roi.
Mon ami, que Dieu te protège ! Qu'il ne te soit pas
trop pénible de te loger là-bas ! Tu verras souvent
mon messager. Je te ferai connaître ma situation ici
par mon valet et par ton maître écuyer. — Il n'y a pas
de danger, ma chère amie, que cela m'ennuie. Mais
quiconque vous reprochera quelque sottise devra se
garder de moi comme d'un ennemi ! — Seigneur,
dit Yseut, mille fois merci, car maintenant je suis bien
rassurée : vous avez su mener à bien mon affaire. »

Ils ont continué d'avancer en même temps que les
autres : s'étant rejoints, ils échangent leurs saluts. Le
roi s'avançait fièrement, devançant ses gens d'une
portée d'arc. Avec lui Dinas, je crois, de Dinan.
Tristan, tenant par la bride le cheval d'Yseut, la
conduit au roi. Alors il le salua comme il se doit :
« Roi, je te rends Yseut, la noble dame. On n'a jamais
fait un tel transfert de richesse ! Je vois ici les hommes
de ton royaume. Avec eux pour témoins, je veux te
demander de me permettre de me disculper et de me
défendre devant ta cour, pour prouver que nous
n'avons pas eu de relations coupables, jamais de ma
vie ! On t'a fait croire des mensonges, mais, je le
jure sur la joie et le bonheur que j'espère de Dieu, il

---

1. L'auteur fait intervenir ici un motif qui n'a pas encore été utilisé dans le récit précédent, mais doit venir d'une autre version : le
motif du séjour des amants dans un abri souterrain.

n'y a pas eu de jugement. Un combat judiciaire, à
pied ou autrement, devant ta cour, sire, voilà ce
que tu dois m'accorder. Si je suis reconnu coupable, alors qu'on me brûle dans du soufre. Et si je ne
m'en tire pas indemne, qu'il n'y ait aucune tête che-
velue ou chauve . . . .
. . . . Alors garde-moi avec toi, sinon je
m'en irai en Loonois[1]. »

Le roi s'adresse à son neveu. André[2], né à Lincoln,
lui a dit : « Roi, garde-le donc. Tu en seras plus re-
douté et craint. » Peu s'en faut qu'il ne soit d'accord,
ses sentiments se sont beaucoup radoucis. Le roi le
tire à part ; il laisse la reine avec Dinas[3], qui était un
homme sincère et loyal, et d'une conduite toujours
conforme à l'honneur. Il joue et plaisante avec la
reine, il lui a retiré sa cape faite d'une écarlate somptueuse. Elle avait revêtu une tunique sur une longue
robe de soie. Que vous dire de son manteau ? L'ermite qui l'avait acheté n'eut pas à regretter d'avoir
payé si cher. La robe est riche, le corps est gracieux ;
Yseut a les yeux gris clair et les cheveux blonds. Le
sénéchal plaisante avec elle. Cela déplaît aux trois
barons. Malheur à eux, ils sont trop méchants ! Les
voilà qui se rapprochent du roi : « Sire, disent-ils,

1. Pour le *Loenois*, voir p. 109, note 1.
2. Andret de Lincoln n'apparaît pas ici comme un ennemi de
Tristan, bien qu'il soit plus loin abattu délibérément par ce dernier. Entre-temps il aura accompagné la reine, en la surveillant.
3. Le rôle important joué par Dinas dans tout le poème se justifie par ses fonctions de sénéchal, chef des officiers du palais. Ici
il fait fonction de maître de cérémonie, en même temps que
d'homme de confiance.

nous allons te donner un bon conseil. La reine, sous
le coup d'une grave accusation, s'est enfuie hors du
pays. Si on les revoit ensemble à la cour, alors on va
dire, il nous semble, que l'on approuve leur in-
conduite. Peu de gens parleront autrement. Fais
partir Tristan de ta cour. Attends le terme d'un an.
Alors, rassuré sur la loyauté d'Yseut, fais revenir Tristan près de toi. Voilà notre conseil en toute bonne
foi. » Le roi répond : « Quoi qu'on en puisse dire, je
m'en tiendrai à vos conseils. » Les barons reviennent
trouver Tristan et lui font part de la décision du roi[1].
Quand Tristan apprend que l'on ne lui accorde
aucun délai, et que le roi veut qu'il s'éloigne d'elle, il
prend congé de la reine. Ils échangent un regard
plein de tendresse. La reine rougit ; elle avait honte à
cause des gens qui les entouraient. Tristan s'en va,
j'imagine la scène. Dieu ! combien de cœurs ont été
attristés ce jour-là pour lui ! Le roi demande où il
s'en ira ; il lui donnera tout ce qu'il voudra ; il met à
sa disposition or, argent, les fourrures les plus sompt-
tueuses, sans compter. Tristan répond : « Roi de
Cornouailles, je n'accepterai pas un sou[2]. Je pars le
plus vite possible, avec le peu que j'ai, chez le riche
roi à qui l'on fait la guerre. »

Tristan a droit à l'importante escorte des barons
et du roi Marc. Il se dirige vers la mer. Yseut le suit

1. Cette décision est pour les barons une victoire, qui leur permettra d'aller plus loin dans leurs exigences, par la suite.
2. En ancien français : *maille*, demi-denier, monnaie de très
faible valeur (et, comme le suggère notre locution encore en cours,
difficile à partager, à *partir*).

des yeux[1]. Aussi longtemps qu'elle peut le voir, elle
reste immobile sur place. Tristan est parti, ceux qui
l'ont escorté un instant sont revenus. Dinas est resté
encore un peu avec lui ; l'embrassant souvent, il le
prie de promettre de revenir le voir. Tous deux
échangent des promesses : « Dinas, écoute-moi un
peu. Je pars d'ici, tu sais bien pourquoi. Si je t'envoie
par Governal une demande urgente, hâte-toi de la
satisfaire, comme il convient. » Ils se sont embrassés
plus de sept fois. Dinas le prie de ne pas avoir peur
de dire ce dont il a envie : il fera tout ce qu'il veut.
C'est une belle promesse pour une séparation, mais il
a donné sa parole, et il s'y tiendra. Il ne ferait pas de
même, certes, pour le roi. Tristan poursuit la route
sans lui. Au moment de se séparer ils éprouvent une
même mélancolie.

Dinas revient auprès du roi qui l'attendait dans un
champ moissonné. Maintenant les barons che-
vauchent vers la cité. Tout le monde sort de la ville ;
il y a là plus de quatre mille personnes, hommes,
femmes et enfants. C'était autant pour Tristan que
pour Yseut qu'ils manifestaient une joie extraordinaire. Les cloches sonnaient dans toute la ville. Quand
on apprend que Tristan s'en va, tout le monde se
lamente, mais on se réjouit pour Yseut et on se met
en peine de l'honorer. Sachez-le, toutes les rues
étaient ornées de tentures de soie. Ceux qui n'avaient

1. La mer suggère l'éloignement, le départ pour de lointains
pays. Le regard d'Yseut qui suit Tristan jusqu'à ce qu'il dispa-
raisse est un beau motif littéraire qu'il faut mettre au crédit du
poète.

pas de soie avaient mis des rideaux ordinaires. Partout où passait la reine, la rue était jonchée de verdure[1]. Le cortège prend la chaussée qui monte jusqu'à l'église Saint-Samson. La reine et tous les barons marchent ensemble. Évêque, clercs, moines et abbés sont tous sortis de l'église pour aller à sa rencontre, ayant revêtu leur aube ou leur chasuble. La reine est alors descendue de cheval ; elle est habillée d'une étoffe bleu foncé. L'évêque, la prenant par la main, la conduit dans l'église. On la mène tout droit à l'autel[2]. Le vaillant Dinas, plein de noblesse, lui apporte une parure qui valait bien cent marcs d'argent. C'était un tissu fort riche, fait avec du fil d'or (jamais comte ni roi n'en eut de tel). La reine Yseut l'a pris et, généreusement, l'a déposé sur l'autel. On en a fait une chasuble qui devait rester dans le trésor pour ne sortir qu'aux fêtes solennelles. Elle est encore à Saint-Samson[3], disent ceux qui l'y ont vue. Alors Yseut est sortie de l'église. Le roi, les princes et les comtes l'emmènent au grand palais. Toute la journée

1. La « jonchée » fait partie de la mise en scène des entrées triomphales. Il importe que la reine retrouve toute sa dignité et son prestige aux yeux de son peuple. Tout va rentrer dans l'ordre, au moins en apparence.
2. La cérémonie ici décrite ressemble à un mariage, avec l'accueil des époux devant l'église comme s'il s'agissait d'un renouvellement de leur engagement. On se rappelle que le roi Marc a échangé leurs anneaux pendant le sommeil d'Yseut, geste dont le symbole va dans le même sens. Mais il s'agit aussi d'une fête politique. La réintégration d'Yseut lui fait parcourir la rue, entrer dans l'église et enfin revenir au palais : les trois ordres de la société sont associés à ce rétablissement de la paix.
3. Saint-Sampson est l'église de la paroisse où se trouve Lancien en Cornouailles.

on y a organisé de grandes réjouissances à portes ouvertes. Tous ceux qui voulaient entrer trouvaient à manger, et jamais personne ne fut rebuté. Toute la journée, tous ont honoré Yseut. Depuis le jour de son mariage, on ne lui avait jamais prodigué autant d'égards que ce jour-là. Ce même jour, le roi affranchit cent esclaves et donna armes et hauberts à vingt damoiseaux qu'il adouba. Et maintenant écoutez ce que Tristan va faire.

Tristan s'en va, s'étant acquitté de sa dette. Il quitte le grand chemin et emprunte une sente. Il a tant voyagé, sur route et par sentiers, qu'il est arrivé clandestinement au logis du forestier[1]. Orri le fait entrer aussitôt dans le beau souterrain[2]. Il lui procure tout ce dont il a besoin. Orri était remarquablement généreux. Il prenait au piège des sangliers, des laies avec leurs petits, de grands cerfs et des biches, des daims et des chevreuils. Il n'était pas avare car il en donnait beaucoup à ses serviteurs. Il vécut là, avec Tristan caché dans le souterrain. Tristan avait des nouvelles de son amie par Périnis, le noble écuyer.

Écoutez-moi parler maintenant des trois traîtres (que Dieu les maudisse !) responsables du départ de Tristan[3]. Ils ont encore maltraité le roi. Il ne s'était

1. Tristan s'installe chez le forestier Orri. C'est apparemment un ami d'Yseut, selon une tradition qui a dû être plus explicite, tradition à laquelle on fait une allusion confuse (p. 123). Remarquons que Tristan recommence une vie clandestine, n'ayant pas fait ce qu'il avait promis au roi.
2. Surgit ici la rêverie du refuge souterrain. En ancien français, le terme *celier* désignait un abri ou un passage souterrain.
3. Annonce d'un nouveau complot des trois traîtres. La seconde partie du roman, bien que construite selon un modèle nar-

pas écoulé un mois entier quand le roi Marc partit à la chasse en compagnie de ces trois traîtres. Écoutez ce qu'ils ont fait ce jour-là. Sur la lande, un peu à l'écart, les paysans avaient brûlé des souches[1]. Le roi s'arrêta sur le brûlis pour écouter chasser ses bons chiens qui aboyaient. C'est là que les trois barons sont venus trouver le roi pour l'endoctriner : « Roi, écoute ce que nous avons à te dire. La reine ne s'est-elle pas mal conduite ? S'est-elle jamais justifiée ? On vous le reproche, et les barons de votre royaume vous ont maintes fois présenté cette requête : ils tiennent à ce qu'Yseut se disculpe[2] en prouvant qu'elle n'a pas été la maîtresse de Tristan. Elle doit réfuter les accusations. Faites donc préparer un procès et sans tarder demandez-lui de s'y soumettre, quand vous vous retrouverez seuls pour vous coucher. Si elle refuse de se justifier, chassez-la de votre royaume ! »

Ces mots firent rougir le roi : « Par Dieu, seigneurs de Cornouailles, depuis longtemps vous ne cessez de l'accuser ! J'ai entendu formuler ici des accusations contre elle, dont on aurait bien pu se dispenser.

---

ratif plus linéaire, a recours à la répétition des mêmes motifs de conte que la première partie, comme celui de la dénonciation combiné avec le type lyrique du *losengier*, du « médisant ».

1. On est toujours en été. Les paysans ont défriché et brûlé sur place le bois inutilisable, la cendre devant fertiliser le sol. Le roi suit, pour s'amuser, une chasse, de loin. Ce moment choisi par les barons montre combien ils le harcèlent.

2. La procédure de la disculpation repose sur la valeur considérable de la parole dans les sociétés anciennes, aussi bien celtes que germaniques. Les barons, sûrs de la culpabilité de la reine, veulent la mettre en difficulté par cette nouvelle exigence. La justification par serment, donc par la parole, se substitue à l'ordalie par le feu que mentionnent d'autres légendes à propos d'Yseut.

Dites tout de suite que vous voulez que la reine
retourne en Irlande ! Que lui voulez-vous, tous autant
que vous êtes ? Tristan ne s'est-il pas offert pour la
défendre ? Vous n'avez pas osé prendre les armes
contre lui. C'est à cause de vous qu'il a quitté le pays.
Je me suis laissé prendre à vos beaux discours. Je l'ai
chassé, lui, faut-il encore que je chasse ma femme ?
Il mérite cent coups en pleine mâchoire celui qui
m'a demandé de le faire partir. Par saint Étienne le
martyr[1], vous allez trop loin, je ne peux plus le supporter. C'est étonnant de s'acharner ainsi contre lui !
Il a peut-être mal agi, mais il est fort. Vous ne vous
souciez guère de mon bonheur. Avec vous je n'ai
plus un instant de tranquillité. Par saint Trechmor
de Carhaix[2], je vais vous faire un pari : avant mardi
(nous sommes aujourd'hui lundi) vous le reverrez. »
Le roi les a si bien effrayés qu'ils n'ont rien de mieux
à faire qu'à prendre la fuite. Le roi Marc dit : « Que
Dieu vous fasse périr, vous qui ne cessez de rechercher ma honte ! Mais vous n'aboutirez à rien, je vous
le dis ! Je ferai revenir le seigneur que vous avez fait
partir. » Quand ils voient le roi ainsi courroucé, ils
vont mettre pied à terre sur la lande, au bas d'une
friche, laissant le roi sur place ruminer sa colère.
Parlant entre eux, ils disent ceci : « Que pourrons-
nous faire ? Marc est vraiment un roi dégénéré. Il va

1. L'invocation à saint Étienne suggère l'acharnement contre
une victime. Cet exemple prouve qu'il peut y avoir un rapport
entre le saint invoqué et la situation de celui qui l'invoque.
2. Saint Trechmor est le patron de l'église de Carhaix, dans le
Finistère.

bientôt rappeler son neveu, et alors serments et promesses auront fait long feu. S'il revient par ici, c'en
est fini de nous. Si par les bois ou les chemins il
tombe sur l'un de nous trois, il ne manquera pas de
le vider de son sang. Disons au roi que nous le laisserons en paix et que nous ne parlerons plus de tout
cela. »

Le roi était resté dans le champ défriché. Ils sont
venus le trouver là ; vite, il les écarte, il ne se soucie
pas de ce qu'ils veulent lui dire. Il le jure en invoquant
la loi de Dieu, à voix basse, entre ses dents : cet entretien s'est mal engagé. S'il avait disposé de la force
nécessaire, il les aurait fait arrêter, se dit-il, tous les
trois. Ils recommencent : « Sire, écoute-nous ! Tu es
contrarié et en colère parce que nous défendons ton
honneur. On a envers son seigneur le devoir de le
conseiller, et tu ne nous es pas reconnaissant ! Mau-
dit soit, sous son baudrier, le cœur de celui qui a de
la haine pour toi (il se repentira de ses mauvais sentiments) ! Celui-là doit partir. Mais nous qui sommes
tes fidèles vassaux, nous te donnions un conseil loyal.
Puisque tu ne nous crois pas, fais ce qu'il te plaît. Tu
verras bien que nous resterons silencieux. Pardonne-
nous et reviens à de meilleurs sentiments. »

Le roi écoute, il ne souffle mot. Il s'est accoudé
sur l'arçon de sa selle sans tourner les yeux vers eux :
« Seigneurs, il y a peu de temps, vous avez entendu
la justification proposée par mon neveu au sujet de
ma femme. Vous n'avez pas voulu prendre les armes.
Votre argument ne tient pas debout ! Désormais je
vous interdis de combattre pour moi. Allez, filez,

quittez mon royaume ! Par saint André[1] que l'on va chercher outre-mer jusqu'en Écosse, vous m'avez mis au cœur une maladie qui mettra bien un an pour guérir : c'est à cause de vous que j'ai chassé Tristan. » Les traîtres s'approchent de lui ; ce sont Godoïne, Ganelon et Denoalan[2] qui était très pervers. Ils lui adressent la parole, mais n'obtiennent pas satisfaction. Le roi s'en va sans s'attarder davantage. Les autres le quittent pleins de rancune. Ils ont des châteaux forts, bien entourés de palissades, et construits sur le roc ou sur de hautes collines. Ils vont chercher noise à leur suzerain si l'affaire ne s'arrange pas. Le roi n'a pas traîné, il n'a attendu ni les chiens ni les veneurs. À Tintagel[3], devant le donjon, il est descendu de cheval et il pénètre à l'intérieur. Personne ne sait ni ne devine ce qu'il fait. Il entre dans ses appartements, l'épée au côté. Yseut s'est levée pour aller à sa rencontre ; elle lui prend son épée et s'assied aux pieds du roi[4]. Il la prend par la main et la remet debout. La reine s'incline, puis redresse la

1. Il y a des reliques de ce saint à Saint Andrews, en Écosse. C'est une façon polie d'envoyer les barons... au diable !
2. Nous avons ainsi les noms des félons. Godoïne semble représenter Godwin ; Guenelon, Ganelon, est depuis la *Chanson de Roland* le nom le plus fréquent pour un traître ; Denoalan apparaît sous plusieurs graphies, faute sans doute de modèle dans la tradition narrative.
3. Le roi a donc changé de résidence, quittant le sud-ouest de la Cornouailles pour le Nord-Ouest.
4. Ce geste de respect et d'affection est aussi une bonne précaution. Dans toute cette scène le sens des gestes et des attitudes est très étudié et suggère ce que les paroles ne sauraient dire avec assez de nuance.

tête pour le regarder au visage. Le voyant dur et
farouche, elle se rend compte qu'il est très contrarié.
Il est venu là sans se faire accompagner[1]. « Hélas !
soupire-t-elle, mon ami a été découvert, mon mari
l'aura pris ! » Elle dit cela tout bas, entre ses dents.
Tout son sang reflue des extrémités vers son visage,
son cœur se refroidit dans sa poitrine. Devant le roi,
elle tombe à la renverse, elle est évanouie, son teint
est livide . . . . La prenant dans ses bras, il
lui donne un baiser, puis la tient par le cou. Il pense
que c'est une maladie qui l'a frappée. Il lui demande :
« Ma chère amie, qu'avez-vous ? — Sire, j'ai peur.
— Ne craignez rien ! » Quand elle entend qu'il
cherche à la rassurer, ses couleurs reviennent, elle reprend courage. La voilà donc soulagée. Elle s'adresse
au roi comme il convient : « Sire, je vois à ton visage
que tes veneurs t'ont contrarié. Tu ne devrais pas te
laisser contrarier pour une chasse. » Le roi rit en
l'entendant et la prend dans ses bras ; il lui répond :
« Amie, j'ai ici trois traîtres, depuis longtemps, qui
s'acharnent sur mon bonheur. Si je ne leur inflige
pas un démenti, avant de les chasser de mon royaume,
ils n'auront plus peur de mes armées. Ils ont longtemps cherché à m'éprouver, et moi je leur ai fait
trop de concessions. Il n'y a plus lieu de chercher à
convertir ces gens. Par leurs paroles, par leurs mensonges, ils m'ont fait chasser mon neveu de chez moi.
Je ne me soucie plus de leur marchandage ; il revien-

1. On sait que le roi se débarrasse de sa suite quand il prépare
un coup (voir p. 96-97).

dra prochainement et me vengera de ces trois traîtres.
C'est lui, cette fois, qui les fera pendre. » La reine a
bien entendu ses propos. Elle aurait voulu parler à
haute voix, mais elle n'ose pas le faire[1]. Sage comme
elle est, elle renonce à formuler sa pensée, mais elle se
dit : « Dieu vient de me faire un miracle, puisque
mon mari est irrité contre les instigateurs du blâme.
Je prie Dieu qu'il les couvre de honte. » Elle dit cela
tout bas, et personne ne l'entend. La belle Yseut, maîtresse de ses paroles, dit simplement au roi : « Quel
mal dit-on de moi ? Chacun peut dire ce qu'il pense.
En dehors de vous, je n'ai aucun recours. C'est ce qui
leur permet de chercher à me perdre. Puissent-ils
être maudits de Dieu, le Père spirituel. Ils m'ont si
souvent fait trembler !

— Dame, dit le roi, écoute-moi ; trois de mes
barons les plus estimés sont partis en colère. — Sire,
pourquoi ? Pour quelles raisons ? — Ils suscitent des
critiques contre toi. — Sire, pourquoi ? — Je vais te le
dire, répond le roi : c'est parce que tu ne t'es pas disculpée en ce qui concerne Tristan[2]. — Et si je le fais ?
— Ils m'ont dit aussi . . . . . . ce qu'ils m'ont dit. — Je
suis prête à le faire. — Quand le feras-tu ? Sera-ce
aujourd'hui ? — Tu me fixes un délai bien court ! —

1. Le narrateur communique les pensées secrètes d'Yseut en
lui prêtant des propos en aparté, comme p. 134 : procédé théâtral.
Yseut est non seulement sage, c'est-à-dire prudente, mais elle est
aussi habile dans ses propos. Le dialogue qui suit illustre son talent diplomatique et dialectique.
2. Première partie de cette négociation entre les époux : le roi,
constatant que l'on dit du mal d'Yseut, prépare sa demande
d'une épreuve qui confirme l'innocence de la reine, à bref délai.

C'est bien suffisant. — Sire, par Dieu et tous ses
saints noms, écoute-moi et conseille-moi[1]. De quoi
s'agit-il ? C'est tout de même étrange qu'ils ne puissent me laisser tranquille une heure ! Je le jure sur
mon salut, je ne leur réserverai pas d'autre justification que celle dont je vais te parler. Si je leur jurais
mon innocence, sire, devant ta cour, en présence de
tout le monde, après deux jours ils recommence-
raient à réclamer une autre justification. Roi, je n'ai
en ce pays aucun parent pour me soutenir par les
armes ou la contestation. Mais je pourrais m'accom-
moder de cette triste situation. Peu m'importe ce
qu'ils rabâchent. S'ils veulent que je fasse un serment
ou s'ils veulent une procédure légale, leurs conditions, si dures soient-elles, seront les miennes ; qu'ils
fixent une date. Au jour fixé, j'aurai sur place le roi
Arthur avec les gens de sa maison[2]. Si je suis lavée de
tout soupçon devant lui, celui qui voudrait encore
me calomnier trouverait pour me défendre ceux qui
auront été témoins de ma justification, qu'il soit cornouaillais ou saxon. C'est pourquoi je souhaite que
les gens d'Arthur soient là et qu'ils voient de leurs
propres yeux ma justification. S'il y a, sur les lieux, le

---

1. Dans une longue tirade, Yseut définit les termes et les conditions de sa disculpation : ce sera un serment ; il sera fait en présence de la cour d'Arthur ; la cérémonie aura lieu à la Blanche
Lande, dans le délai voulu.
2. Le recours au monde arthurien est intéressant pour l'histoire littéraire : on assiste au confluent de deux traditions narratives, le conte de Tristan rejoignant les romans arthuriens.
L'évolution ultérieure des romans de Tristan se fera encore par
synthèse de différents courants (voir Préface, p. 28).

roi Arthur, son neveu Gauvain, le plus courtois des
hommes, Girflet, le sénéchal Keu[1], et la centaine de
vassaux dont dispose le roi, ils témoigneront, quoi
qu'ils entendent dire, ayant au besoin recours aux
armes contre les calomnies. Roi, c'est pour cela qu'il
est bien que la démonstration de mon bon droit soit
faite devant eux[2]. Les Cornouaillais sont des médisants, des tricheurs qui ont plus d'un tour dans leur
sac. Fixe une date, et fais-leur savoir que tu veux
qu'ils se trouvent tous à la Blanche Lande, pauvres
et riches. Ceux qui n'y seront pas, déclare-le nettement, tu leur confisqueras leurs biens. Ainsi, tu
seras débarrassé d'eux. En ce qui me concerne, je suis
certaine que le roi Arthur, dès qu'il verra mon message, viendra jusqu'ici ; il y a longtemps que je connais
ses sentiments. » Le roi répond : « Tu as bien parlé. »
Alors la date est fixée à quinze jours plus tard, et
annoncée dans tout le pays. Le roi la fait connaître à
ses trois sujets qui ont quitté la cour avec de mauvaises intentions : ils en sont heureux, sans s'inquiéter des conséquences.

Maintenant tous les habitants de la région
connaissent la date fixée pour la grande réunion ; on
sait qu'il y aura le roi Arthur et que les chevaliers de

1. Ces trois chevaliers, surtout les deux premiers, sont parmi
les plus célèbres dans la tradition arthurienne. Par ses liens de
parenté, Gauvain est à Arthur ce que Tristan est à Marc. Keu est
comme Dinas, le sénéchal.
2. Yseut demande aux chevaliers de la cour d'Arthur de se
porter garants du serment par lequel elle va se disculper : cet engagement collectif peut entraîner de graves conséquences. Ici on
envisage le recours aux armes pour assister la défense.

sa suite viendront pour la plupart. Yseut n'a pas
attendu ; par Périnis elle a fait savoir à Tristan
toute la peine et tout le tourment qu'elle a éprouvés
pour lui cette année. À lui, en échange, de faire
preuve de dévouement. Il peut, s'il veut, lui rendre
la tranquillité. « Dis-lui qu'il connaît bien le marais
au bout d'un chemin en planches, au Mal Pas ; il
m'est déjà arrivé d'y salir mes vêtements. Qu'il se
rende sur la butte, là où s'arrêtent les planches, un
peu avant la Blanche Lande, déguisé en lépreux[1].
Qu'il apporte un gobelet de bois, posé sur une bouteille[2], que retient un nœud fait sur une courroie ;
que de l'autre main il tienne une béquille, et s'exerce
à son maniement. Qu'il se place sur la butte le jour
fixé. Que son visage soit comme couvert de bosses ;
qu'il tende le gobelet devant lui et demande l'aumône
naïvement à ceux qui passeront par là. Ils lui donne-
ront de l'or et de l'argent. Qu'il me garde cette monnaie, jusqu'à notre prochaine entrevue secrète, dans
une chambre discrète. » Périnis lui répond : « Dame,
sur ma foi, je lui ferai part de ces instructions se-

---

1. Le plan imaginé découle de la configuration des lieux, à la
Blanche Lande, mentionnée par Yseut dès la p. 137. On peut
donc supposer qu'elle a eu l'intuition de son stratagème, dans ses
grandes lignes, sinon en détail, dès sa réponse à Marc. Le Mal
Pas a pu désigner bien des passages difficiles sur les chemins
d'autrefois. Les érudits situent celui-ci sur le ruisseau qui limite
le Morroi, côté sud-est, Fal River, près du confluent avec le
Truro, à l'endroit appelé par les Cornouaillais *hryt yselt*, soit « gué
d'Yseut », qui est aussi, dans notre poème, le Gué Aventureux.
2. La coupe en bois veiné est un objet traditionnel ; la « bouteille » est une sorte de calebasse faite avec le fruit de la colo-
quinte.

crêtes. » Périnis quitte la reine ; il entre dans la forêt par un taillis, et s'avance seul dans le sous-bois ; à la tombée du jour il arrive à la cachette de Tristan, dans le beau souterrain. Ils venaient de se lever de table. Tristan fut heureux de sa venue. Il savait bien que c'étaient des nouvelles de son amie que lui apportait le noble jeune homme. Tous deux, se tenant par la main, se sont hissés sur un siège. Périnis lui a récité en entier le message de la reine. Tristan s'incline un peu vers le sol et il jure, par tout ce qui lui vient à l'idée, malheur à ceux qui sont à l'origine de tout cela ; rien ne pourra empêcher qu'ils y perdent bientôt la tête : on les exposera sur les gibets, tout en haut ! « Rapporte à la reine ce message, mot pour mot : j'irai au jour dit, qu'elle n'en doute pas, mais qu'elle se réjouisse, et reprenne force et confiance. Je ne prendrai pas de bain d'eau chaude jusqu'à ce que j'aie tiré vengeance, par l'épée, de ceux qui lui ont fait des ennuis. Ce sont des traîtres, fourbes confirmés. Dis-lui que j'ai tout imaginé pour qu'elle sorte de l'épreuve du serment saine et sauve. Je la verrai très bientôt. Va, dis-lui de ne pas s'inquiéter. Qu'elle n'en doute pas, j'irai au jugement déguisé en mendiant. Le roi Arthur me verra bien, assis au bord du Mal Pas, mais il ne me reconnaîtra pas. J'aurai son aumône, si je peux tirer quelque chose de lui. Tu peux rapporter à la reine tout ce que je t'ai dit dans ce souterrain qu'elle a fait faire si beau, en pierre[1].

1. Il semble donc que ce soit Yseut qui ait fait faire ce souterrain. Cette part de la légende nous échappe ici.

Transmets-lui de ma part plus de saluts qu'il n'y a de pustules sur mon visage[1]. — Soit, je le lui dirai », dit Périnis, et il commence à gravir l'escalier : « Je vais trouver le roi Arthur, beau seigneur. Il faut que je lui fasse ce message : qu'il vienne entendre le serment, accompagné de cent chevaliers qui serviront ensuite de témoins, si les traîtres trouvent encore à redire sur la loyauté de la reine. N'est-ce pas bien ainsi ? — Allons, va, avec l'aide de Dieu ! » Il gravit alors les dernières marches, monte à cheval, et s'en va. Il avance à force d'éperons jusqu'à son arrivée à Caerlon[2]. Il s'est donné bien du mal pour rendre service, il devrait en être mieux récompensé par la suite. À force de demander des nouvelles du roi, il finit par apprendre la vérité : le roi est à Snaudon[3]. C'est donc le chemin qui y mène qu'emprunte l'écuyer de la belle Yseut. Il demande à un berger qui joue du chalumeau : « Où est le roi ? — Seigneur, répond-il, il siège sous le dais, là où vous verrez la Table Ronde qui tourne comme le monde[4]. Les chevaliers de sa

1. Ce sont les pustules du faux lépreux. Ce message, qui conserve les deux formules rituelles d'introduction et de conclusion, introduit déjà quelques notations burlesques qui nous préparent à la grande farce du gué.
2. Il pourrait s'agir de Caerleon-sur-Usk (Galles du Sud), plutôt que de Caer Lyon en Cornouailles. Commence ici la mission de Périnis chez Arthur. Les déplacements font souvent l'objet, dans les récits romanesques, de simples formules de transition comme celle-là.
3. Snowdon, ville du pays de Galles.
4. La Table Ronde est à l'image du monde ; c'est un dispositif astronomique, que l'on attribue parfois au magicien Merlin. Plus tard, *La Queste del Saint Graal* donne son interprétation en disant que cette table représente la circonférence du monde et la révolution des planètes et des éléments du ciel.

maison sont assis autour. — Alors, allons-y ! » dit
Périnis. Le jeune homme descend de cheval sur la
marche de pierre et pénètre aussitôt à l'intérieur. Il y
a là des fils de comtes et des fils de puissants vassaux,
qui tous mettent leurs armes au service du roi. L'un
d'eux quitte le groupe, comme s'il prenait la fuite, et
vient trouver le roi qui lui demande : « Dis, que
viens-tu faire ? — J'apporte des nouvelles. Il y a là
dehors un cavalier qui vous demande instamment. »
Sur ce, voici Périnis qui s'approche, sous les regards
de nombreux marquis[1]. Il vient vers l'estrade où siè-
gent tous les barons. Le jeune homme dit, avec assurance : « Que Dieu sauve le roi Arthur, ainsi que
toute sa compagnie ! C'est son amie, la belle Yseut,
qui lui fait parvenir ce salut. »

Le roi se lève de table : « Et que Dieu qui est esprit, dit-il, la sauve et la garde, ainsi que toi, ami[2].
Dieu ! fait le roi, j'ai tant souhaité avoir d'elle au
moins un message ! Jeune homme, devant tous mes
barons ici présents, je lui accorde tout ce que tu de-
manderas. Tu seras armé chevalier, avec deux autres,
pour avoir apporté le message de la plus belle femme
qu'il y ait d'ici jusqu'à Tudèle[3]. — Sire, répond Péri-

1. Primitivement, le marquis est un noble préposé à la garde
d'une « marche », une province faisant frontière.
2. L'accueil chaleureux du roi Arthur fait contraste avec celui
que Marc réserve habituellement à ceux qui viennent le trouver.
Il est vrai que c'est l'amitié qu'il garde pour Yseut qui justifie
d'abord cet accueil. Mais le récit va exploiter le contraste au dé-
triment de Marc.
3. Il est d'usage de récompenser les messagers, s'ils sont
porteurs de bonnes nouvelles, mais ce n'est pas rien d'être fait

nis, je vous en remercie. Écoutez la raison de ma
venue ici, et que m'écoutent aussi ces barons et monseigneur Gauvain, particulièrement[1].

« La reine s'est réconciliée avec son mari, le fait
est de notoriété publique. Sire, tous les barons du
royaume étaient sur les lieux de leur réconciliation.
Tristan s'est offert pour un duel judiciaire qui établi-
rait la loyauté de la reine en présence du roi. Mais
personne n'a voulu prendre les armes pour contester
cette loyauté[2]. Sire, maintenant on fait entendre au
roi Marc qu'on doit exiger de la reine une justification. Il n'y a aucun homme noble, français ou saxon,
à la cour du roi Marc, qui soit du lignage d'Yseut. J'ai
entendu dire que celui-là nage bien dont on soutient
le menton. Roi, si je mens sur ce point, considérez-
moi comme un mauvais conseiller : le roi Marc n'a
pas de volonté stable ; tantôt il est d'un côté, tantôt
d'un autre. La belle Yseut lui a répondu qu'elle se
disculpera devant vous. Elle vous demande, en im-
plorant votre miséricorde en tant que votre amie
chère, de venir à l'entrée du Gué Aventureux au
jour fixé, avec une centaine de vos amis ; que votre
cour soit là, alors, loyale, avec vos compagnons habi-
tuels. Yseut se disculpera devant vous, et que Dieu
la mette à l'abri d'un échec, ce jour-là ! Ainsi, par

---

chevalier par Arthur. Tudela, sur l'Èbre, en Espagne, a été recon-
quise en 1119 sur les Maures par Alphonse le Bataïlleur.

1. Cette mention spéciale de Gauvain nous rappelle que le
Moyen Âge voyait en lui l'arbitre de la courtoisie.
2. Pour la critique des gens de la cour, voir p. 137.

la suite, vous pourriez vous en porter garant, sans
faillir, en toute circonstance. La date a été fixée pour
le jugement : ce sera dans huit jours[1]. » À ces mots,
tous se mettent à pleurer avec de grosses larmes. Il
n'est personne qui n'ait le visage mouillé des pleurs
provoqués par la pitié. « Dieu ! dit chacun, que de-
mandent-ils à Yseut ? Le roi fait ce qu'ils comman-
dent, et Tristan s'en va en exil. Que jamais n'aille au
paradis celui qui ne se rendra pas là-bas, si le roi le
veut, et qui n'aidera pas Yseut comme il se doit ! »
Gauvain s'est levé et a pris la parole en homme bien
éduqué : « Oncle, avec votre permission, l'épreuve
qui a été prévue tournera mal pour les trois félons.
Le plus corrompu est Ganelon. Je le connais bien,
comme il me connaît. Je l'ai jadis précipité dans un
bourbier, au cours d'une joute brutale et sans merci.
Si je remets la main sur lui, par saint Richier[2], il ne
sera pas nécessaire que Tristan vienne. Si je pouvais
le tenir de mes mains, je lui ferais passer un mauvais
moment avant de le faire pendre au sommet d'une
colline[3]. » Girflet[4] se lève après Gauvain, et tous

1. Huit jours se sont donc écoulés depuis la proclamation du
roi Marc (p. 137). Comme Yseut n'a pas tardé à envoyer Périnis
(p. 138), ce dernier a mis bien longtemps pour aller de chez Orri
(non loin de Lancien) jusque chez le roi Arthur. Ce long voyage
suggère qu'il se trouve au pays de Galles.
2. Saint Riquier est le fondateur d'un monastère près d'Abbe-
ville.
3. Malgré sa courtoisie, qui nous est rappelée d'entrée de jeu,
Gauvain se livre à une de ces vantardises coutumières aux chevaliers épiques.
4. Aux trois félons, dont nous connaissons maintenant les
noms, vont donc s'opposer les trois chevaliers d'Arthur, au moins

deux s'approchent la main dans la main : « Roi, la reine est détestée par Denoalan, Godoïne et Ganelon, et cela depuis très longtemps. Que Dieu me fasse perdre la raison si, m'opposant à Godoïne, je ne lui passe pas le fer de ma grande lance en frêne de part en part, ou bien je renonce à embrasser désormais les belles dames sous le manteau derrière les rideaux du lit ! » À ces mots Périnis incline la tête devant lui. Prend la parole, alors, Évain, le fils de Dinas : « Je connais bien Denoalan : il s'ingénie à monter des accusations, et il a l'art de duper le roi. Mais je trouverai un argument pour le convaincre. Si je le rencontre au milieu de ma route, comme cela m'est déjà arrivé, que je renie foi et loi s'il peut me résister et si je ne le pends pas de mes propres mains ! Il faut punir sévèrement les traîtres. Les flatteurs[1] qui entourent le roi en font leur jouet. »

Périnis dit au roi Arthur : « Sire, une chose est sûre, c'est que les traîtres vont recevoir une bonne correction, ceux qui ont cherché noise à la reine. Les menaces proférées à votre cour, à l'encontre d'étrangers venus d'un lointain royaume, ont toujours été punies. Votre justice réserve un châtiment sévère à

---

théoriquement, dans leurs défis. Ce qui distingue les trois félons, c'est le tournoi pour Ganelon, le lit et l'amour pour Godoïne, et l'intrigue politique pour Denoalan : trace d'une triple fonction dans le conte, avec la guerre, la sexualité et le pouvoir.

1. Les *losengiers* sont les flatteurs, donc les menteurs, qui selon les troubadours et les trouvères jalousent et dénoncent les amants. Les trois défis, ou vœux, ou serments, sont construits sur le même modèle.

tous ceux qui l'ont mérité. » Le roi, heureux de cet éloge, rougit légèrement et dit : « Jeune homme, allez manger. Ces chevaliers s'occuperont de la vengeance[1]. » Le roi éprouve une profonde satisfaction : il parle de manière à être entendu de Périnis : « Nobles et honorés compagnons, veillez qu'au jour du rassemblement vos chevaux soient tous bien nourris, vos écus flambant neufs, votre tenue impeccable. Nous allons jouter devant la belle dont vous venez d'entendre les nouvelles. Il pourra bien mépriser sa vie, celui qui hésitera à prendre les armes. » C'est ainsi que le roi les a tous harangués. Ils s'impatientent de devoir attendre si longtemps. Ils auraient voulu que ce fût pour le lendemain. Mais écoutez ce que fait ce noble fils de bonne famille : Périnis demande l'autorisation de partir. Le roi est monté sur Passelande, car il veut escorter à cheval le jeune homme[2]. On ne parle que de la belle, se demandant qui brisera une lance pour elle avant la fin de la rencontre. Le roi offre à Périnis tout ce qu'il faut pour être chevalier, mais il ne veut pas encore l'accepter. Le roi l'a donc escorté un peu en l'honneur de la noble et belle dame aux cheveux blonds qui n'a pas le caractère ombrageux : on parlait d'elle tout en marchant. Le jeune homme a une brillante escorte avec

1. Ce qui distingue Arthur est donc d'abord le sens de la justice, mais encore proche de la vengeance, dont l'idée inspire toute la fin de notre texte (voir p. 164-165).

2. Arthur va honorer Périnis en l'escortant un moment, comme Marc avait fait au départ de Tristan. À travers Périnis, c'est Yseut qui reçoit l'hommage.

le noble roi et ses chevaliers ! On se sépare à regret.
Le roi lui crie : « Bel ami, allez-vous-en, ne vous at-
tardez plus. Saluez votre dame de la part de son ser-
viteur dévoué qui arrive pour lui apporter
l'apaisement[1]. Je ferai tout ce qu'elle voudra. Je ne
me laisserai pas retarder, parce qu'elle m'a jadis
aidé[2]. Rappelle-lui le javelot lancé, qui est allé se fi-
cher dans le poteau. Elle saura bien où cela a eu lieu.
Je te prie de lui répéter cela, mot pour mot. — Roi,
je le ferai, je vous le promets. » Sur ce, il éperonne
son cheval, et le roi a repris le chemin du retour. Périnis revient, ayant rempli sa mission ; il s'est donné
tant de mal pour servir la reine ! Il chemine au plus
vite, sans s'arrêter un seul jour jusqu'à son retour au
point de départ[3]. Il a raconté sa chevauchée à Yseut
qui s'en réjouit, parlant d'Arthur et de Tristan. Cette
nuit-là, ils étaient à Lidan.

　　C'était la dixième nuit de la lune[4]. Que vous
dirai-je ? Le jour fixé approche, où la reine doit se
disculper. Tristan, son ami, n'a pas perdu son temps.
Il s'est habillé de façon hétéroclite, habits de laine,
sans chemise, cotte de bure grossière et bottes rapié-

---

　　1. La mission d'Arthur est d'apaisement : elle correspond à
la fonction royale d'arbitre dans les conflits seigneuriaux, et de
recours dans les conflits juridiques.
　　2. Il est fait allusion ici à un service rendu par Yseut, lors d'un
jeu d'adresse, ou à une rencontre comportant une épreuve guerrière, associant Yseut et Arthur.
　　3. Se confirme ici qu'il s'agit d'un long voyage de plusieurs
jours jusqu'à Cäer Lidan, la résidence de Dinas. On est à proxi-
mité du Gué Aventureux.
　　4. Voilà donc un jour bien précis, mais sans référence calen-
daire.

cées ; il s'est fait tailler une large pèlerine dans une étoffe de bure toute noircie[1]. Il s'est bien déguisé ; il ressemble à un lépreux autant qu'il est possible. Et pourtant il a son épée étroitement attachée à son côté. Tristan s'en va, quittant son logement en secret avec Governal qui lui fait la leçon en lui disant : « Tristan, monseigneur, pas de bêtise ! Faites attention à la reine, ... elle ne pourra rien laisser paraître ni faire un signe. — Maître, dit-il, j'agirai comme il convient. Veillez de votre côté à faire ce qu'il faut pour m'aider. J'ai très peur d'être reconnu. Prenez mon écu et ma lance, apportez-les moi et mettez les rênes à mon cheval, maître Governal. En cas de besoin, soyez prêt, embusqué au passage du gué ; vous connaissez bien ce passage, il y a longtemps que vous y avez été initié. Mon cheval est blanc comme de la farine ; couvrez-le bien de tous les côtés afin que personne ne puisse le reconnaître ni même l'apercevoir[2]. Arthur sera là avec toute sa suite, et le roi Marc aussi. Les chevaliers venus de l'étranger feront des joutes pour conquérir la gloire[3]. Et moi, pour l'amour de mon amie Yseut, je vais tenter un coup audacieux. Qu'il y ait

1. Le malade se reconnaît au fait qu'il n'a pas de costume cohérent, désignant son rang ou son groupe social, mais un assemblage composite qui le situe en marge de la société : c'est un exclu, un marginal, ou un bouffon, mimant l'exclusion.

2. Quand Tristan réapparaîtra sur son cheval blanc, ce cheval sera tout enveloppé de noir (p. 159), le contraste du noir et du blanc résumant la double vie de Tristan, l'aspect nocturne du héros recouvrant alors son vrai visage.

3. Les chevaliers viennent à cette assemblée comme à une fête chevaleresque, pour participer à un tournoi, non pas réglé comme

sur ma lance le pennon dont la belle m'a fait don[1] !
Allez, maître, je vous prie instamment d'agir très
prudemment. » Il saisit son hanap et sa béquille
puis prend congé de lui, et Governal le laisse aller.
Celui-ci est revenu à son logis ; il a pris son équipement sans s'occuper d'autre chose et s'est mis aussitôt en route. Il prenait soin de ne pas être vu. Au
terme de son voyage, il s'est embusqué près de
Tristan qui se trouve déjà au Mal Pas. Tristan s'est
installé sur la butte qui domine le marais, sans difficulté. Il a planté devant lui son bourdon[2] qu'il
avait attaché par un cordon à son cou. Autour de
lui la vase du marécage est molle, mais il est monté
pour se mettre en sûreté sur la butte. Il n'a pas l'allure d'un paralytique, fort comme il est, et musclé ;
il n'est ni nain, ni contrefait, ni bossu. Il entend
venir la troupe et s'est installé sur son chemin. Son
visage est tout couvert de pustules. Quand quelqu'un
passe devant lui, il dit, en se plaignant : « Misère de
moi ! Je ne pensais pas avoir un jour à mendier, ni
que ce serait là jamais mon métier ! Mais qu'y faire ?
Je n'en peux mais. » Tristan leur fait tirer leur bourse,

à la fin du Moyen Âge, mais improvisé. La disculpation d'Yseut
n'est pour eux qu'un prétexte, ou une occasion, pour la rencontre
guerrière.

1. Tristan compte bien participer aussi au tournoi, mais à sa
manière, pour l'honneur de sa dame dont il portera l'enseigne.
Dans cette seconde partie du poème, Tristan se rapproche de
l'idéal du chevalier courtois, tout en se déguisant en vilain.
2. Le « bourdon », long bâton de pèlerin, servait à bien des
choses, notamment à porter la gourde et le baluchon. L'image
du lépreux, celle du vagabond et celle du pèlerin tendent à se
confondre.

car il s'arrange pour que chacun lui donne[1]. Il reçoit
les dons sans qu'on lui fasse la moindre remarque.
Il y en a qui ont vendu leurs charmes pendant sept
ans sans être aussi doués pour le racolage[2]! Même
aux garçons de course, et aux valets les plus méprisés, parfois contraints de mendier sur les routes,
Tristan, tête basse, demande l'aumône au nom de
Dieu. L'un lui donne, l'autre le frappe. Les mauvais
garçons[3], la canaille, le traitent de prostitué, de va-
nu-pieds. Tristan écoute sans répliquer. Au nom de
Dieu il leur pardonne, dit-il. Ces sales oiseaux enra-
gés lui font la vie dure, mais il reste calme. Ils l'appellent truand, vagabond, alors il leur donne la
chasse avec sa béquille ; il en fait bien saigner plus
de quatorze qui ont du mal à étancher le sang. Les
jeunes nobles de bonne famille lui donnent quelques
fifrelins ou des mailles sterling[4] ; il les accepte et
leur dit qu'il va boire à leur santé, car il souffre à
l'intérieur d'une si grande ardeur qu'il a du mal à
l'expulser au-dehors. Tous ceux qui l'entendent

1. En demandant l'aumône, Tristan obéit aux instructions
d'Yseut. Il y a de leur part une sorte de jeu dans ce péage qu'ils
imposent aux voyageurs. Rançonnant les membres des deux cours,
ils étendent leur défi à la société au-delà du simple adultère.
2. Il s'agit d'une pratique du parasitisme dont l'institution,
avec ou sans connotation homosexuelle, est bien antérieure à la
Renaissance.
3. Nous avons là un tableau réaliste des mœurs d'autrefois ;
l'aumône n'était pas toujours accompagnée de sentiments vraiment
charitables ; la société éprouvait haine et dégoût pour ses men-
diants.
4. Le *ferlin* vaut un quart de denier, la *maille* un demi-denier,
et *sterling* désigne la monnaie anglaise qui, sous Henri II Plantagenêt, donnait pour le denier un poids d'argent égal à 32 grains
de blé.

ainsi parler se mettent à pleurer de pitié. Ils ne soup-
çonnent pas du tout que ce n'est pas un lépreux
qu'ils ont sous les yeux. Les serviteurs et les écuyers
s'affairent à décharger les bagages et à dresser les
tentes pour leurs seigneurs, et des pavillons de diverses couleurs. Chaque grand seigneur dispose d'une
tente personnelle. Au galop, par chemins et sentiers,
arrivent ensuite les chevaliers. Il y a foule dans ce
marais ; on l'a tout défoncé et la boue en est ramol-
lie. Les chevaux s'enfoncent jusqu'aux flancs. Beaucoup y tombent, s'en tire qui peut. Tristan en rit
sans s'émouvoir. Pour les taquiner il leur crie à tous :
« Tenez vos rênes par le nœud, donnez bien de
l'éperon, car devant il n'y a plus de vase ! » Mais
quand ils ont l'idée d'essayer le terrain, le marais
s'enfonce sous leurs pas. Tous ceux qui y pénètrent
s'embourbent. Celui qui n'a pas de bottes éprouve
des difficultés. Le lépreux tend la main quand il en
voit un vautré dans la fange ; alors il fait aller avec
allégresse sa crécelle. Et quand il le voit au comble
de l'enlisement, le lépreux lui crie : « Pensez à moi,
que Dieu vous tire du Mal Pas ! Aidez-moi à renouveler ma garde-robe ! » Il frappe de sa bouteille sur le
gobelet. Drôle d'endroit pour faire la quête ! Mais
il le fait par moquerie, afin que, quand il verra passer son amie, Yseut aux cheveux blonds en ait le
cœur réjoui[1]. C'est un beau tumulte dans ce Mal Pas.
Les candidats au passage salissent leurs vêtements, et

---

1. Nous comprenons bien, ici, que Tristan monte une petite
comédie ; l'aspect ludique et comique de la scène va au-delà de
ce qui était nécessaire au serment d'Yseut. Le conteur exploite la
situation pour faire rire. Étrange mélange de rire et de tendresse,

l'on peut entendre de loin les cris de ceux que le
marécage a souillés. Aucun de ceux qui empruntent
le passage n'est indemne.

Mais voici le roi Arthur ; il vient regarder les gens
passer le gué, avec plusieurs de ses chevaliers. Ils
craignent que le fond marécageux ne cède sous leurs
pas. Tous les compagnons de la Table Ronde sont
arrivés au Mal Pas, avec des écus neufs, des chevaux
bien nourris, portant la marque de leurs armoiries.
Tous sont bien habillés, de pied en cap ; on a pour
cela utilisé mainte étoffe de soie. On commence à
jouter devant le gué.

Tristan connaissait bien le roi Arthur, aussi l'a-t-il
appelé près de lui[1] : « Sire Arthur, roi, je suis malade, couvert de pustules, lépreux, infirme et affaibli.
Mon père est pauvre, il n'a jamais possédé de terre.
Je suis venu ici pour demander l'aumône. J'ai en
tendu dire beaucoup de bien de toi. Tu ne dois pas
m'éconduire. Tu es vêtu de belle étoffe grise de
Ratisbonne, si je ne me trompe. Sous la toile de Reims
ta peau est blanche et lisse. Je vois que tes jambes
portent des chausses de soie somptueuse à carreaux
verts, et des guêtres de couleur vive. Roi Arthur, tu
vois comme je me gratte ? Je suis transi de froid,
quand d'autres ont chaud. Pour l'amour de Dieu,

de farce et de chevalerie, qui surprend notre goût moderne, mais
correspond à l'art des conteurs.

1. Ce monologue de Tristan est une esquisse de *sottie*, de farce
satirique médiévale. S'y mêlent vérité et fantaisie, mais selon une
logique de l'impertinence qui débouche naturellement sur la
requête.

fais-moi cadeau de ces guêtres ! » Le noble roi a eu
pitié de lui. Deux jeunes gens l'ont déchaussé. Le
malade prend les guêtres et s'en va avec lestement
pour se rasseoir sur la levée de terre. Le lépreux
n'épargne aucun de ceux qui passent devant lui. Il en
obtient une grande quantité de vêtements bien taillés,
plus les guêtres du roi Arthur !

Tristan s'est installé au bord du marais. Il était
déjà là quand le roi Marc, farouche et respirant la
force, arriva chevauchant à vive allure vers le bourbier. Tristan commence à l'entreprendre pour obte-
nir quelque chose de lui. Il fait beaucoup de bruit
avec sa crécelle, tandis que de sa voix rauque il a de
la peine à crier, chassant l'air par son nez avec un
sifflement aigu : « Pour Dieu, roi Marc, donne-moi
quelque chose ! » Le roi retire sa capuche et lui dit :
« Tiens, frère, mets-la sur ta tête ; souvent le froid t'a
fait du mal. — Sire, répond-il, grand merci ! Voilà
que vous m'avez garanti du froid. » Il glisse la capuche sous sa pèlerine, la tamponnant pour la dissi-
muler autant qu'il peut. « D'où es-tu, lépreux ?
demande le roi. — De Caerlon, je suis fils d'un
Gallois. — Depuis combien de temps vis-tu en
marge ? — Sire, cela fait trois ans, que je ne mente.
Tant que j'étais en bonne santé, j'avais une amie bien
courtoise. C'est à cause d'elle que j'ai attrapé ces
gros boutons. Elle me fait sonner nuit et jour cette
crécelle, dont le bois, à force, s'est usé, et dont le bruit
assourdissant frappe tous ceux à qui je demande
l'aumône pour l'amour de Dieu le Créateur. » Le roi
lui demande : « Dis-moi toute la vérité. Comment

ton amie t'a-t-elle fait ce cadeau ? — Sire roi, son
mari est lépreux, et comme nous partageons les plaisirs amoureux, le mal m'est venu de nos rapports
charnels[1]. Mais de plus belle qu'elle, je n'en connais
qu'une. — Et qui est-ce ? — La belle Yseut : elle
s'habille d'ailleurs comme le faisait mon amie. » À
ces mots, le roi s'en va en riant[2]. Le roi Arthur est
arrivé de l'autre côté, tout en joutant. Il était de bonne
humeur, autant qu'il est possible. Arthur demande
des nouvelles de la reine. « Elle arrive, dit Marc, par
la forêt, sire roi, avec André qui s'est chargé de
l'accompagner. » Ils se font la remarque : « Je me
demande comment elle pourra sortir de ce Mal Pas.
Restons ici, et guettons son arrivée. »

Les trois traîtres[3] (que le feu d'enfer les brûle !),
en arrivant au gué, demandent au lépreux par où sont
passés ceux qui se sont le moins embourbés. Tristan,
pointant sa béquille, leur indique un endroit particulièrement mou. « Vous voyez, là-bas, cette tourbière
après la vase ? C'est la bonne direction. J'y ai vu passer beaucoup de monde. » Les traîtres entrent dans
la boue à l'endroit indiqué par le lépreux. Ils y
trouvent une vase incroyable et ils en ont jusqu'aux
arçons. Tous trois s'écroulent en même temps. Le
lépreux, de la hauteur où il se trouve, leur crie :

1. L'identification amie/Yseut rend particulièrement insolente
à l'égard du roi la suggestion d'une contamination par la cohabitation.
2. Le roi est le premier à rire de cette plaisanterie dont il fait
les frais sans le savoir.
3. Troisième rencontre de Tristan, cette fois avec les trois
traîtres. Leur traitement sera plus sévère.

« Piquez des deux, si vous êtes barbouillés de cette vase ! Allez, seigneurs, par le saint apôtre, donnez-moi un peu d'argent ! » Les chevaux s'enfoncent un peu plus dans la vase et les barons commencent à s'affoler, car ils ne touchent du pied ni le bord ni le fond. Ceux qui joutent sur la hauteur sont accourus au plus vite. Écoutez comme le lépreux sait bien mentir : « Seigneurs, dit-il à ces barons, tenez-vous bien à vos arçons. Cette maudite boue qui est si molle ! Ôtez-moi ces manteaux de vos épaules, et remuez bien les bras pour traverser le marais. Je peux bien vous le dire (car je le sais pertinemment), j'ai vu des gens passer par là aujourd'hui. » Ah ! si vous l'aviez vu cogner sur son gobelet ! Quand le lépreux le secoue, il heurte sa gourde qu'il tient par la courroie, tandis que de l'autre main il joue de la crécelle[1]. Mais voici la belle Yseut. Quand elle voit ses ennemis dans la vase, et son ami installé sur la butte, elle en est très contente, elle rie et s'en amuse. Elle met pied à terre sur la rive.

De l'autre côté du marais se trouvent déjà les rois et les barons qui sont venus avec eux. Ils regardent les autres se retourner dans la vase, tantôt sur le côté, tantôt sur le ventre. Et le lépreux qui les presse : « Seigneurs, la reine est arrivée pour se disculper. Dépêchez-vous d'aller à l'audience ! » Rares sont ceux que cela ne fait pas rire. Écoutez le lépreux,

---

1. Il faut imaginer le bruit infernal dont Tristan accompagne la scène qu'il a provoquée. C'est du grand spectacle, un spectacle burlesque dédié à Yseut qui justement arrive.

l'infirme, s'adresser à Denoalan[1]. « Accroche-toi à
mon bâton, tire des deux mains de toutes tes forces ! » Et il le lui tend en même temps ; mais le malade lâche le bâton, et l'autre tombe en arrière ; il fait
un beau plongeon ; on ne voit plus rien de lui que
sa tignasse. Et quand on l'a retiré de la vase, le lépreux lui dit : « Ce n'était pas de ma faute. J'ai les
articulations et les nerfs engourdis, les mains paraly-
sées par le mal d'Acre et les pieds enflés par la
goutte. La maladie m'a affaibli, mes bras sont secs
comme de l'écorce. »

Dinas[2] était avec la reine. Il s'est rendu compte de
ce qui se passe et lui fait un clin d'œil[3]. Il sait bien
que c'est Tristan qui est sous la pèlerine, et il a vu les
trois traîtres pris au piège. Il est heureux et content
de les voir barboter dans cette sale boue. Ce n'est pas
sans mal ni douleur que les accusateurs sont sortis
du marécage ! Une chose est sûre : il leur faudra un

---

1. Denoalan va faire les frais d'une dernière démonstration dans
cette grande scène de farce. Faire semblant d'aider, puis laisser
tomber, est du comique le plus simple mais le plus efficace.

2. On se rappelle que le sénéchal Dinas est d'accord avec Tristan, au moins sur le principe de son retour chez Marc, auprès
d'Yseut. Mais sa complicité avec la reine, les clins d'yeux (voir
p. 156) laissent supposer qu'il était au courant du stratagème.

3. Après cette première grande scène de la farce du gué,
comme on pourrait l'appeler, la rencontre d'Yseut avec Tristan
déguisé va renouveler le rire. Tous deux vont jouer une étrange
comédie qui a pour but de construire une référence vraie pour la
signification mensongère du serment à venir. Mais il est évident
que le conteur entend offrir encore l'occasion de rire, cette fois
sur un autre registre, celui de l'équivoque érotique. On se prépare ainsi au troisième volet de la comédie, la grande imposture
du serment ambigu.

bon bain pour se nettoyer. Sous les yeux de la foule ils se déshabillent, et changent de vêtements. Mais maintenant écoutez ce que fait le noble Dinas de ce côté-ci du Mal Pas. Il s'adresse à la reine : « Dame, dit-il, ce long manteau risque d'être bien sali. Le sol ici est plein de boue couleur rouille. Je suis navré et très préoccupé à la pensée que vos vêtements pourraient en être éclaboussés. » Yseut sourit, elle qui n'a pas froid aux yeux[1] ; elle lui fait un clin d'œil en le regardant et il suit sa pensée. Un peu plus bas, près d'un buisson d'épines, il se dirige avec André vers un gué où ils traversent indemnes. Yseut est restée seule de l'autre côté. Devant le gué il y a une grande foule avec les deux rois et leur suite. Écoutez comme Yseut est habile ! Elle savait bien qu'on la regardait de l'autre côté du Mal Pas. Elle s'est approchée de son palefroi[2], elle a pris les languettes de la housse et les a nouées sur les arçons. Aucun écuyer, aucun valet n'aurait fait mieux pour éviter la boue en les relevant et les fixant. La belle Yseut replie les courroies sous la selle, enlève le poitrail et le frein du cheval. Elle tient sa robe d'une main et de l'autre son fouet. Arrivée au gué avec le palefroi, elle le frappe de son fouet, et le cheval traverse le marécage.

1. Il faut apprécier cette litote. Yseut est en fait très hardie, et la saveur du récit tient en grande partie à ce trait de caractère. Le Moyen Âge, dès l'époque d'Aliénor d'Aquitaine, aimait ainsi les femmes énergiques.
2. Le palefroi est un cheval de parade, généralement de tempérament tranquille, et bien dressé. La reine va faire une belle démonstration de sa maîtrise du cheval, avant de prendre Tristan comme monture.

La reine est attentivement observée par ceux qui se trouvent de l'autre côté. Les deux illustres rois l'admirent, ainsi que tous les autres spectateurs. La reine a des vêtements de soie qui viennent de Bagdad. Ils sont fourrés de blanche hermine. Son manteau et sa tunique ont une traîne. Sur ses épaules descendent ses cheveux tressés de rubans de lin avec des fils d'or. Sur sa tête, une couronne d'or qui l'encercle entièrement. Son visage a un teint frais avec des nuances de rose et de blanc. C'est ainsi qu'elle se dirige vers le passage en planches[1]. Elle dit au lépreux : « J'ai besoin de toi pour faire quelque chose[2]. — Noble reine de haute naissance, à tes ordres, sans mauvaise excuse, mais je ne vois pas ce que tu veux dire. — Je ne veux pas souiller mes vêtements. Tu me serviras d'âne[3] pour me porter doucement sur les planches. — Holà, là ! dit-il, noble reine, ne me faites pas une pareille requête ! Je suis lépreux, boutonneux, infirme. — Vite, dit-elle, mets-toi en position ! As-tu peur que j'attrape ta maladie[4] ? Ne crains rien, ce ne sera pas le cas ! — Ah ! Dieu ! fait-il, de quoi s'agit-il ? En tout cas, je ne m'ennuie pas en lui parlant. » Il s'appuie davantage sur sa béquille. « Dis-donc, lépreux, tu es bien gros ! Tourne ton visage par là et ton dos par ici. Je vais te monter comme un

---

1. La planche dont on parle est le début de la passerelle rudimentaire jetée depuis la rive marécageuse de la petite rivière qu'il faut traverser.
2. Ici commence l'équivoque grivoise avec des expressions ambiguës.
3. L'âne, bête de somme, est aussi chargé de symbolisme sexuel.
4. Pour cette allusion à la contagion, voir p. 153

homme. » Cela fait sourire le malade, qui lui tend le dos, et elle l'enfourche. Et tout le monde regarde, rois et comtes. Elle serre ses cuisses sur la béquille[1]. Il lève un pied, mais l'autre cloche ; à plusieurs reprises il fait mine de tomber, en ayant l'air de souffrir. Yseut la belle est à califourchon, une jambe d'un côté, l'autre de l'autre. Les gens se disent : « Regardez donc . . . . Voyez la reine chevauchant un lépreux qui boite. Il risque de tomber de la planche, car il doit tenir sa béquille serrée contre sa hanche. Allons à la rencontre de ce lépreux au bout de ce marécage. » Les jeunes gens s'y précipitent . . . .

Le roi Arthur se dirige aussi de ce côté, suivi par tous les autres, à leur tour. Le lépreux, tenant le visage baissé, achève la traversée et atteint la terre ferme. Yseut se laisse glisser à terre. Le lépreux se dispose à partir, mais avant de la quitter il demande à la belle Yseut à manger pour le soir. Arthur lui dit : « Il l'a bien mérité. Allons, reine, donnez-lui à manger ! » La belle Yseut répond au roi : « Par la foi que je vous dois, c'est un gueux bien nourri, il a de quoi, il ne mangera pas aujourd'hui tout ce qu'il a. J'ai senti sa courroie sous sa chape. Roi, sa bourse ne rétrécit pas. Ce sont des demi-pains et des miches entières, des morceaux et des quartiers de viande que j'ai sentis

1. Yseut s'assied sur la béquille que Tristan a mise en travers, au niveau de ses reins, pour servir de selle rudimentaire. L'auteur insiste sur la position

dans son sac. Il a de la nourriture, et il est bien habillé. Vos guêtres, s'il veut les vendre, lui rapporteront cinq sous sterling et, avec la capuche de mon mari, qu'il achète des brebis, il sera berger, ou un âne pour faire passer le marécage ! C'est un vaurien, je le sais bien. Aujourd'hui il a bien gagné sa vie, il a trouvé les gens qu'il lui fallait. Mais de moi il n'obtiendra pas la valeur d'un sou, ni le moindre fifrelin. » Tout cela amuse bien les deux rois. Ils amènent à Yseut son palefroi, et l'aident à monter, puis s'en vont. Alors ceux qui ont des armes commencent à jouter.

Tristan quitte le rassemblement et revient trouver maître Governal qui l'attend. Celui-ci a amené deux beaux chevaux de Castille[1] avec frein, selle, deux lances et deux écus. Il les avait bien camouflés. Que vous dire des deux cavaliers eux-mêmes ? Governal avait mis sur sa tête une écharpe de soie blanche : on ne voyait de toute façon que ses yeux. Il s'est remis en marche, au pas, sur son cheval beau et gras. Quant à Tristan, il montait Beau Joueur, le meilleur cheval qu'on pût trouver. Tunique, selle, cheval et bouclier, tout était recouvert de soie noire ; son visage aussi, couvert d'un voile noir, ne laissait apparaître ni la tête ni les cheveux. À sa lance il avait mis l'enseigne que la belle lui avait fait remettre. Chacun d'eux monte sur son destrier, ayant ceint l'épée d'acier. Ainsi armés, sur leurs chevaux, traversant

---

1. Ce sont des chevaux espagnols, vigoureux, bien nourris, comme il en faut dans les joutes. Celui de Tristan, nommé d'après le caractère de son maître Beau Joueur, est de couleur blanche, mais tout habillé de soie noire.

une prairie verte entre deux vallons, ils surgissent
dans la Blanche Lande. Gauvain, le neveu d'Arthur,
dit à Girflet : « En voilà deux qui arrivent au galop.
Je ne les connais pas : sais-tu qui ils sont ? — Je les
connais bien, répond Girflet, cheval noir et enseigne
noire, c'est le Noir de la Montagne[1]. L'autre, je le re-
connais à ses armes bariolées, car il n'y en a guère en
ce pays. Ce sont des enchanteurs[2], j'en suis certain. »
Ils arrivent à l'extérieur de la troupe, leur écu à la
main[3], la lance en bataille, l'enseigne fixée à la pointe
en fer. Ils portent bien leurs armes, comme s'ils
étaient nés avec. Le roi Marc et le roi Arthur parlent
de ces chevaliers beaucoup plus qu'ils ne font des
gens de leur suite, là-bas, dans l'étendue de la plaine.
Car ces deux chevaliers se font voir partout dans les
rangs, et beaucoup de gens ont l'occasion de les regarder. Ils foncent tous les deux sur l'avant-garde, mais
ils ne trouvent personne pour se battre contre eux.
La reine les a bien reconnus. Elle se tient avec
Brengain un peu à l'écart de la foule rassemblée.
André aussi arrive sur son destrier, tout armé, lance
en bataille, l'écu à la main ; il attaque Tristan de front.
Il ne le reconnaissait pas, mais Tristan l'avait bien
reconnu. Il le frappe sur l'écu, l'abat en plein chemin

---

1. La couleur noire sied à un triste Tristan, proscrit, et pour
ainsi dire nocturne. Mais cette brève bataille, en la Blanche
Lande, est toute en noir et blanc, à l'image d'un jeu de dames, ou
d'échecs.
2. Le public sait qu'il n'y a pas là de personnage magique. Il
s'agit plutôt, dans la bouche de Gauvain, de l'expression d'une
angoisse que de la manifestation d'une croyance.
3. Le bouclier est empoigné de la main gauche.

et lui casse un bras. André tombe aux pieds de la reine, sur le dos, sans pouvoir se relever[1]. Governal a vu le forestier venir de l'endroit où sont les tentes, sur un destrier ; c'était celui qui avait voulu livrer Tristan à ses bourreaux, dans la forêt où il dormait profondément. Governal s'élance contre lui à vive allure, et l'autre est déjà en grand danger de mort. Il lui enfonce le fer tranchant dans le corps, et l'acier ressort de l'autre côté avec le cuir. Le forestier tombe mort, sans qu'aucun prêtre lui ait porté secours, possibilité d'ailleurs exclue par la rapidité de l'action[2]. Yseut, qui ne s'embarrasse pas de préjugés, en sourit doucement sous sa guimpe. Girflet, Cinglor, Yvain, Tolas[3], Coris et Gauvain voient malmener leurs compagnons. « Seigneurs, dit Gauvain, qu'allons-nous faire ? Le forestier gît là, bouche ouverte. Sachez que ce sont deux enchanteurs. Nous ne les connaissons pas du tout. Maintenant ils nous prennent pour des lâches. Élançons-nous vers eux pour aller les prendre.

1. Le combat de Tristan avec André semble confirmer qu'il n'y a aucune sympathie entre les deux chevaliers. La fonction du sénéchal se dédouble dans notre poème, le côté sympathique revenant à Dinas, le côté antipathique revenant à André.
2. Governal punit le forestier qui a dénoncé les amants. Cette mort n'est pas conforme à l'annonce de la p. 122 selon laquelle Périnis en est l'auteur. Remarquons cependant que Périnis est à Yseut ce que Governal est à Tristan, et la symétrie a pu conduire à cette confusion d'un remanieur. L'esprit de vengeance l'emporte, chez Yseut, sur la charité, et elle trouve ici de quoi rire, comme le public, toujours content de voir punir un traître.
3. Nous avons vu Girflet précédemment. On manque de référence pour Cinglor. Yvain est notamment le Chevalier au Lion de Chrétien de Troyes. Tolas est sans doute un géant. Coris n'est pas autrement connu.

— Celui qui pourra nous les livrer nous aura rendu un grand service », dit le roi. Cependant, Tristan et Governal se dirigent vers le gué et passent de l'autre côté. Les autres n'osant les poursuivre restent pantois, figés de peur ; ils pensent avoir eu affaire à des fantômes. Ils veulent regagner leur cantonnement, car ils renoncent à jouter.

Arthur accompagne la reine, à sa droite. Le chemin lui a semblé court . . . . pour qui s'éloignerait sur la droite. Ils descendent de cheval devant leur logement. Ce sont des tentes dressées, nombreuses, sur la lande. Les cordages en ont coûté très cher. Au lieu de joncs et de roseaux tous ont jonché leurs tentes de glaïeuls[1]. Ils arrivent par chemins et sentiers. La Blanche Lande fourmille de monde. Plus d'un chevalier y a amené son amie. Ceux qui campent dans la prairie entendent les chasseurs ramenant de grands cerfs. Ils passent la nuit sur la lande[2]. Chacun des deux rois siège pour écouter les requêtes. Ceux qui ont quelque fortune s'empressent : on échange des cadeaux.

Le roi Arthur, après manger, va tenir compagnie au roi Marc sous sa tente. Il y emmène les gens de la maison royale. On ne trouvait guère là de vêtements de laine. La plupart étaient de soie. Que vous dire des doublures ? Si elles étaient en laine, elles étaient

1. Les glaïeuls constituent au Moyen Âge une jonchée de luxe.
2. La veillée avant la cérémonie. Après les armes, le programme de la fête continue ; allusion discrète à l'agréable compagnie des dames, évocation des plaisirs de la chasse : les deux thèmes du *deduit*, du plaisir.

teintes de pourpre : vêtements de laine, mais écarlates ! Il y avait donc là beaucoup de personnes richement habillées. On n'a jamais vu deux cours royales aussi brillantes. On y trouvait tout ce dont on avait besoin. À l'intérieur des tentes la joie a régné. Durant la nuit, on a discuté de cette affaire : comment cette noble reine de bonne famille pourra se disculper de l'outrage en présence des rois et de leur entourage.

Le roi Arthur va se coucher en même temps que ses amis, nobles et fidèles. Le son de nombreux chalumeaux et trompettes arrivait à tous ceux qui pouvaient se trouver dans la forêt, en provenance des tentes. Avant le jour, il commença à tonner ; cela laissait prévoir une journée chaude[1]. Les guetteurs ont sonné l'arrivée du jour. Partout on commence à se lever ; les voilà tous debout, sans traîner.

Dès la première heure le soleil était chaud ; le brouillard s'était dissipé, la gelée blanche avait disparu. Devant les tentes des deux rois se sont rassemblés les gens de Cornouailles. Tous les chevaliers du royaume, pour cette assemblée de la cour, avaient amené leur femme. On avait mis un tapis de soie, un brocart gris, devant la tente du roi : il était tout brodé d'animaux, à petits points d'aiguille. On l'avait étendu sur l'herbe verte. Le tapis avait été acheté à Nicée[2].

---

1. Ce temps orageux au lever du jour est assez surprenant. Les notations de ce genre sont sans doute en harmonie avec la cérémonie insolite qui va se dérouler. Béroul aime les paysages de l'été, époque où se déroule l'essentiel de son histoire.
2. Chez ces semi-nomades que sont les chevaliers, la valeur esthétique est surtout cherchée dans les tentures et les tapisseries que l'on peut transporter.

Toutes les reliques[1] venant des trésors de Cornouailles, phylactères, armoires ou autres réduits servant au rangement, c'est-à-dire des reliquaires, des écrins, des châsses, des croix d'or ou d'argent, des lingots de métal, avaient été placées sur le tapis, bien rangées et en ordre. Les rois se retirent à l'écart ; ils veulent définir les conditions d'un jugement équitable[2]. Le roi Arthur parle d'abord, ayant l'habitude de prendre l'initiative : « Roi Marc, dit-il, celui qui t'a conseillé cette réunion extraordinaire a eu une idée choquante. À coup sûr, ajoute-t-il, il outrepasse les limites de la justice. Mais tu te lances à l'aventure trop facilement, tu ne dois pas croire des mensonges. Il t'a concocté une sauce trop amère, celui qui t'a fait réunir cette assemblée. Il mériterait de le payer par un châtiment corporel, celui qui a voulu te faire faire cela. La noble Yseut, de bonne famille, ne veut accepter ni renvoi ni délai. Ils doivent être sûrs d'une chose, ceux qui vont la mettre à l'épreuve, c'est que je ferai pendre, désormais, ceux qui l'accuseront encore de mauvaise conduite, mus par l'envie, une fois qu'elle se sera disculpée. Ce sera un cas passible de la peine de mort. Écoute-moi donc, roi, voici le moyen de savoir s'il y a faute : la reine va s'avancer de manière à être vue

1. L'énumération de toutes ces reliques est nécessaire pour faire oublier le caractère magique de l'ordalie. Le recours à Dieu par l'intermédiaire des objets sacrés se substitue à l'appel aux forces païennes des ordalies par le feu ou par l'eau.

2. Arthur va parler sur un ton grondeur, en raison à la fois de son autorité politique et de son amitié pour Yseut. Il formule un jugement sans indulgence sur le caractère faible de Marc, tout en rejetant la responsabilité première sur les conseillers.

par tout le monde, petits et grands, et elle jurera, main droite tendue, sur les reliques, devant le Roi des cieux, qu'elle n'a jamais eu de relations amoureuses avec ton neveu, ni deux fois ni une seule fois, dont on puisse lui reprocher la vilenie, et qu'elle ne s'est jamais conduite en amour comme une fille de mauvaise vie[1]. Roi Marc, cela a trop duré. Quand elle aura fait ce serment, dis à tes barons d'aller en paix. — Ah ! sire Arthur, qu'y puis-je ? Tu me blâmes et tu as raison. Car il faut être fou pour croire les envieux ! Je les ai crus malgré moi. Si la reine peut se disculper dans ce pré, quiconque osera, après son acquittement, dire quoi que ce soit pour la déshonorer recevra une punition sévère. Sache-le, Arthur, noble roi, si cela s'est passé ainsi, ce fut contre ma volonté. Mais qu'ils prennent garde à partir de maintenant ! » Ils arrêtent là leur entretien.

Tout le monde a déjà pris la place dans les rangées, sauf les deux rois ; non sans raison, car Yseut se tient entre eux deux, à portée de main. Gauvain s'est placé près des reliques.

Les gens de la maison d'Arthur, si estimée, se sont rangés autour du tapis de soie. Arthur a pris la parole le premier, étant le plus près d'Yseut : « Écoutez-moi, belle Yseut, entendez les termes de la justification que nous attendons de vous : il faut dire que Tristan n'a eu pour vous aucune passion amoureuse contre la morale ni contre la raison, mais seulement

---

1. Le serment d'Yseut est prévu avec grande précision, tant dans l'autorité divine qu'elle doit invoquer que dans les termes mêmes de la formule.

ces sentiments d'affection qu'il devait avoir envers son oncle et sa compagne[1].

— Seigneurs, fait-elle, par la grâce de Dieu, je vois ici de saintes reliques. Écoutez bien le serment que je fais pour donner au roi ici présent l'assurance qu'il réclame : je jure par Dieu et par saint Hilaire[2], sur ces reliques, sur ce reliquaire, sur toutes les reliques qui ne sont pas ici et sur les reliquaires qui sont ailleurs de par le monde, qu'entre mes cuisses n'est entré aucun homme, sauf le lépreux qui m'a prise en charge pour me faire traverser le gué, et le roi Marc mon époux. J'exclus ces deux hommes de mon serment, mais personne d'autre au monde. De ces deux hommes je ne peux m'excuser, le lépreux et le roi Marc, mon époux. Car le lépreux a bien été entre mes jambes[3] . . . . Mais si quelqu'un veut que j'ajoute quelque chose, je suis toute prête à le faire ici même. »

Tous ceux qui l'ont entendue prêter ainsi serment ne peuvent en supporter davantage. « Dieu[4] ! dit

1. La formule du serment a changé par rapport à ce qui était prévu. Curieusement, Yseut doit faire un serment sur les sentiments de Tristan envers elle. Il est vrai qu'on entend par « amour » aussi bien les actes que les sentiments, l'aspect objectif des rapports que l'aspect subjectif de la passion.
2. Saint Hilaire, ayant convaincu sa fille de rester vierge après son mariage, est le patron de la chasteté féminine. Il a, de plus, l'avantage d'avoir un nom assez drôle.
3. La précision anatomique, à peine voilée par la métonymie et l'euphémisme, sera reprise avec complaisance par le peuple (voir p. 167).
4. On s'interroge sur la signification religieuse de tous ces appels à Dieu, ces serments qui l'invoquent, ces aventures qui semblent l'effet de sa justice ou de sa grâce. Dieu intervient comme

chacun, avec quelle fierté a-t-elle fait ce serment !
Elle a bien fait ce qu'il fallait selon la justice. Elle en
a même dit plus que ce dont avaient parlé les traîtres,
plus qu'ils n'en demandaient. Elle n'a pas besoin
d'autre justification, en plus de celle que vous avez
entendue, grands et petits, concernant le roi et son
neveu. Elle a juré et fait serment qu'entre ses cuisses
personne n'est entré sinon le lépreux qui l'a portée
hier, vers l'heure de tierce, pour traverser le gué, et
le roi Marc, son époux. Malheur à qui désormais
mettra sa parole en doute ! »

Le neveu d'Arthur[1] s'est levé et il a tenu ce discours
au roi Marc, de manière à être entendu de tous les
barons : « Roi, nous avons entendu et compris la justification. Que maintenant les trois[2] traîtres, Denoalan, Ganelon et Godoïne le Mauvais ne prononcent
plus une seule parole. Si jamais ils se trouvent dans
ce pays, ni paix ni guerre ne me retiendront, si je
reçois un appel d'Yseut, la belle reine, d'aller de
toute la vitesse de mes chevaux soutenir contre eux
son bon droit. — Seigneur, dit-elle, je vous remercie ! » Ces trois personnages sont détestés à la cour

---

le principe du merveilleux qui se substitue à la magie des contes
païens. Il remplit une fonction littéraire, en accord avec une
mentalité. Il est difficile de trouver ici une véritable théologie, en
dehors des références à quelques principes de la doctrine,
comme à l'idée, alors « moderne », du repentir.

1. Il s'agit de Gauvain : il est normal qu'il prenne la parole, en
raison de son autorité morale et de ses liens de parenté avec
Arthur. Il parle au nom des autres chevaliers, mais pas au nom
du roi qui n'a pas à intervenir en personne dans un combat : son
rôle est de définir ce qui est juste.

2. Il y a encore trois félons !

d'Arthur. Les gens des deux cours se séparent et s'en vont. Yseut, la belle aux cheveux blonds, remercie beaucoup le roi Arthur. « Dame, dit-il, je me porte garant. Vous ne trouverez plus personne, tant que j'aurai santé et vie, qui ne dise du bien de vous. Les traîtres regretteront leur idée. Je prie le roi votre époux, sincèrement et très amicalement, de ne plus jamais croire aucun d'eux en ce qui vous concerne. » Le roi Marc répond : « S'il m'arrivait désormais de le faire, j'en porterais le blâme. » Ils se sont séparés. Chacun retourne dans son royaume. Le roi Arthur va à Durham, le roi Marc reste en Cornouailles. Tristan séjourne dans la région, sans être inquiété.

Le roi Marc règne en paix sur la Cornouailles[1]. Tous le craignent, de loin comme de près. Yseut l'accompagne à la chasse de nouveau ; il met tout son zèle à lui témoigner son amour. Mais si d'autres vivent en paix, les trois traîtres sont à l'affût d'une éventuelle félonie. Ils reçoivent la visite d'un espion qui cherche un moyen d'améliorer sa fortune : « Seigneurs, fait-il, écoutez-moi un peu et, si je vous dis des mensonges, faites-moi pendre. Le roi, l'autre jour, vous a su mauvais gré et vous a pris en haine à cause du jugement imposé à sa femme. Je veux bien qu'on me pende ou me perde si je ne vous montre

---

1. Une fois surmontée l'épreuve du serment, les amants doivent pouvoir reprendre une vie normale. Mais que font-ils ? Où le narrateur nous conduit-il avec eux ? Réapparaît alors le motif de la dénonciation des amants, qui a servi à construire la première partie. Les difficultés ne viennent pas du roi Marc, heureux d'avoir repris la vie commune avec Yseut. Cette fois c'est un « espion » qui avertit les trois traîtres.

pas, bien visible, Tristan, là où il attend l'occasion de
parler à sa chère maîtresse. Il se cache, mais je connais sa cachette. Quand le roi va à la chasse, Tristan,
aussi malin que le sire de Maupertuis[1], vient prendre
congé dans sa chambre même. Faites-moi réduire en
cendres si, allant à la fenêtre de sa chambre, derrière
la maison et à droite, vous n'y voyez pas venir Tristan, l'épée au côté, un arc à la main et deux flèches
dans l'autre. Cette nuit même vous le verrez venir,
avant l'aube. — Comment le sais-tu ? — Je l'ai vu.
— Tristan ? — Oui, vraiment, et je l'ai bien reconnu.
— Quand y était-il ? — Ce matin même, je l'y ai vu.
— Et qui était avec lui ? — Son ami. — Son ami ? Et
qui donc ? — Le seigneur Governal. — Où sont-ils
installés ? — Dans une belle maison où ils s'amusent.
— C'est chez Dinas ? — Est-ce que je sais ? — Il sait
sûrement où ils sont. — C'est probable. — Où les
verrons-nous ? — Par la fenêtre de la chambre ; c'est
pure vérité ! Si je vous le montre, j'attends une bonne
récompense, puisqu'on remet la main dessus. — Dis-
moi ton prix. — Un marc d'argent. — D'accord, et
même plus, je te le promets sur l'Église et sur la
messe. Si tu nous le montres, tu ne peux manquer
d'être enrichi par nous.

    — Écoutez-moi maintenant, continue ce sale in
dividu, il y a une petite fenêtre sur la façade de la
chambre de la reine, avec un rideau que l'on peut
tirer devant. Aux abords de la chambre, le ruisseau

---

    1. Cette référence au logis de Renart est importante. Elle nous
confirme la parenté de Béroul avec le comique des jongleurs.

s'élargit, avec une épaisse bordure d'iris. Que l'un de vous trois y aille de bon matin. En passant par la brèche dans le mur du nouveau jardin, qu'il aille avec précaution jusqu'à l'embrasure. Il n'y a pas d'autre ouverture. Taillez une longue perche avec un couteau pour en faire un crochet bien pointu. Vous piquerez le tissu du rideau avec le crochet pointu comme une épine. Il n'y aura qu'à tirer doucement le rideau qui masque l'ouverture, car on ne l'attache pas, pour bien voir Tristan à l'intérieur, quand il viendra parler à la reine. Si vous assurez cette surveillance seulement trois jours, je consens que l'on me brûle, si finalement vous ne voyez pas ce que j'ai dit. » Chacun d'eux assure à son tour : « C'est promis, affaire conclue ! » Et ils renvoient l'espion à plus tard.

Alors ils discutent pour savoir lequel des trois ira le premier voir les ébats en chambre de Tristan avec celle qui lui appartient. Ils se mettent d'accord : ce sera Godoïne qui ira la première fois. Ils se séparent, et chacun va de son côté. Dès demain ils sauront comment Tristan assure son service. Dieu ! la noble dame ne se méfiait pas des traîtres ni de leur complot. Par Périnis, un de ses familiers, elle avait fait demander à Tristan de venir la voir le lendemain matin : le roi irait à Saint-Lubin[1].

Écoutez, seigneurs, cette étonnante aventure[2]. Le lendemain, quand la nuit était encore obscure, Tristan

1. Localité inconnue.
2. Nouvelle aventure, donc nouveau danger auquel sont exposés les amants. Cette fois le traître va périr, ainsi que Denoalan. Mais le dernier, le traître par excellence, Ganelon, reste à abattre au moment où le texte s'interrompt.

s'était mis en route, traversant les fourrés épais
d'aubépine. À la lisière d'un bois, comme il regardait, il vit venir Godoïne : il revenait de sa cachette.
Tristan lui tend une embuscade, se dissimulant dans
le buisson d'épines. « Ah ! Dieu, protège-moi, que
celui qui vient ne m'aperçoive pas avant qu'il ne soit
à ma portée ; je vais l'accueillir ! » Il l'attend sans
bouger, tenant son épée. Mais Godoïne prend un
autre chemin[1]. Tristan reste là, très contrarié. Puis il
sort de son buisson, et se dirige du même côté, mais
en vain, car l'autre s'éloigne, préparant un mauvais
coup. Peu de temps après, Tristan regarda au loin et
vit venir Denoalan, chevauchant à l'amble, avec
deux lévriers de grande taille. Il se plaça à l'affût,
derrière un pommier. Denoalan suivait le sentier sur
un palefroi noir, ayant envoyé ses chiens lever, dans
un fourré, un sanglier sauvage. Avant qu'ils puissent
le débusquer, leur maître aura reçu un tel coup
qu'aucun médecin ne pourra plus le guérir.

Le vaillant Tristan avait enlevé sa cape. Denoalan
s'est avancé rapidement. Le prenant à l'improviste,
Tristan bondit. L'autre veut s'enfuir, mais il ne peut :
Tristan le rattrape et le fait mourir ; il n'y avait rien
d'autre à faire, car Denoalan cherchait sa mort, mais
Tristan a su l'éviter : il lui coupa la tête avant que
l'autre n'ait eu le temps de dire : « Touché ! » De
son épée il lui trancha les tresses qu'il mit dans sa

---

1. L'opération Godoïne a failli avorter tout de suite. Denoalan
tombe à sa place, victime d'une embuscade analogue à celle qui
avait permis à Governal de couper la tête à l'un des barons (voir
p. 88-90). Le même modèle a resservi.

chausse pour les montrer à Yseut et lui prouver qu'il l'avait tué[1]. Tristan quitte les lieux rapidement.

« Hélas ! fait-il, qu'est devenu Godoïne ? Il s'est sauvé, lui que j'ai vu venir tout à l'heure si pressé. Où est-il passé ? Il s'en est allé tout de suite. S'il m'avait attendu, il aurait pu savoir qu'il n'aurait pas meilleure récompense que celle remportée par Denoalan, le traître, à qui j'ai coupé la tête. » Tristan laisse le corps par terre, en rase campagne, sur le dos, tout sanglant. Il essuie son épée, la remet au fourreau, reprend sa cape et remet son capuchon sur sa tête ; il place encore un gros morceau de bois sur le corps. Il se dirige vers la chambre de son amie. Mais écoutez ce qui est arrivé[2].

Godoïne était arrivé en courant avant Tristan. Ayant percé le rideau, il voyait la chambre dont le sol était bien tapissé de feuilles. Il pouvait voir tout ce qui se trouvait à l'intérieur, mais il n'y avait pas d'autre homme que Périnis. Brengain, la suivante de la belle Yseut, était venue la peigner. Elle avait encore le peigne à la main. Le traître qui les observait de derrière le mur vit entrer Tristan, son arc en bon bois de cytise à la main, avec ses deux flèches, et dans l'autre main deux tresses assez longues[3]. Il ôta sa cape, laissant voir sa belle stature. Yseut, la belle aux

1. Governal avait apporté la tête de sa victime en guise de trophée. Tristan se contente des tresses.
2. La dernière scène du manuscrit n'est pas la moins réussie. Tristan y renoue avec les exploits héroïques, et son geste symbolique n'est pas sans évoquer Ulysse de retour à Ithaque.
3. On retrouve la silhouette emblématique de Tristan, tenant à la fois l'arc, les deux flèches et les deux tresses.

cheveux blonds, se lève, va à sa rencontre et le salue.
Par la fenêtre elle aperçoit l'ombre de la tête de
Godoïne. La reine comprenait très vite. Tout son
corps se mit à transpirer de colère. Tristan s'adressa
à Yseut : « Sur mon salut, croyez-moi, dit-il, voici les
tresses de Denoalan. Je t'ai vengée de lui ; jamais
plus il n'achètera ni ne marchandera d'écu ni de
lance. — Seigneur, fait-elle, qu'y puis-je ? Mais je
vous prie de tendre cet arc et nous verrons s'il est
bien bandé[1]. » Tristan se fige et réfléchit. Écoutez, il
délibère intérieurement. Il se concentre, et tend son
arc. Il demande des nouvelles du roi Marc, et Yseut
lui dit ce qu'elle en sait . . . .
. . . .

Si Godoïne avait pu s'échapper vivant, il aurait fait
renaître un conflit mortel entre le roi Marc et son
épouse Yseut. Mais Tristan — que Dieu lui accorde
de conquérir la gloire ! — l'empêchera de s'échapper. Yseut n'avait pas envie de plaisanter : « Ami,
engage une flèche dans la corde, prends garde que le
fil ne se torde, je vois quelque chose de désagréable.
Tristan, tends ton arc au maximum ! » Tristan, immobile, réfléchit un moment. Il sait bien qu'elle voit
quelque chose qui lui déplaît. Il lève les yeux. Alors
il frémit, il sursaute et tremble : à contre-jour, à travers le rideau, il a vu la tête de Godoïne. « Ah !
Dieu, vrai Roi, j'ai tiré tant de fois avec succès à l'arc
et à la flèche ! Accordez-moi de ne pas manquer ce

1. Tristan et Yseut ne jouent plus sur l'équivoque sexuelle,
comme au Gué Aventureux. Plus question de plaisanter ici : ils
doivent se comprendre à demi-mot pour parer au danger.

coup-ci. Je vois un des trois traîtres de Cornouailles, là dehors, et ce n'est pas sa place. Dieu qui as sacrifié Ton corps très saint pour ton peuple, laisse-moi tirer vengeance du tort que ces traîtres cherchent à me faire. » Alors il se tourne vers le mur, vise soigneusement, et tire. La flèche s'en va si vite que rien n'aurait pu l'esquiver. En vibrant elle pénètre dans l'œil, transperçant la tête et la cervelle. L'émerillon et l'hirondelle ne volent même pas à la moitié de sa vitesse. S'il s'était agi d'une pomme mûre, la flèche ne serait pas ressortie plus vite. Godoïne tombe et heurte une poutre. Il ne remue plus ni pieds ni bras Il n'a même pas eu le temps de dire : « Je suis blessé ! Dieu, confession[1] . . . .

1. Ici s'interrompt le roman de Béroul. Toute la suite et la fin manquent, qui devaient conduire les amants à la mort.

DOSSIER

NOTICE

Signes

La déchirure initiale du seul manuscrit qui nous a conservé le roman de Béroul nous place d'emblée dans une des scènes les plus typiques de la légende : celle du rendez-vous des amants épié par le roi Marc caché dans un arbre. La fin de ce même manuscrit retrouve les amants à nouveau surveillés, cette fois par l'un des barons qui leur veulent du mal. Dans les deux cas, l'intimité du couple est violée par le regard d'un voyeur hostile. Mais leur entente est telle qu'ils peuvent s'avertir du danger, dans la double signification de leur dialogue. Le hasard a bien fait les choses en encadrant la relique de l'œuvre de Béroul par ces deux scènes en quelque sorte symétriques. L'attention est ainsi attirée sur l'une des caractéristiques fondamentales de la manière et du sens du roman de Béroul : à travers un dialogue dramatique sont mises en scène à la fois la menace qui pèse sur l'amour illégitime, et la ressource d'une ruse fondée sur la commune maîtrise des mots. Et la scène centrale de ce qui nous est resté du texte, celle de la surprise des amants par le roi Marc dans la loge de feuillage, scène fréquemment reprise, comme celle du rendez-vous épié, par l'iconographie, illustre d'une façon magistrale cette confusion des signes dans la lumière trompeuse d'une nature estivale.

Structure

La succession des scènes est rapide dans la première partie
de ce qui nous a été conservé, et se fait plus lente ensuite.
Dans la partie du roman qui a été perdue, Béroul avait sans
doute d'abord raconté les épisodes auxquels il est d'ailleurs
fait allusion ici ou là, et que donnent les autres versions plus
complètes, tout particulièrement celle d'Eilhart d'Oberg, qui
paraît avoir suivi, au moins pour une grande part, la même
source que Béroul : le combat contre le Morholt, la guérison
de la blessure par Yseut, puis le combat contre le dragon, où
Tristan conquiert la main d'Yseut pour son oncle le roi Marc,
le voyage d'Irlande en Cornouailles au cours duquel les deux
jeunes gens boivent par erreur la boisson magique préparée
pour les futurs époux. Après l'épisode du rendez-vous épié
dans le verger sur lequel commence le manuscrit, vient celui
du piège tendu par le nain Frocin : les amants sont pris en flagrant délit. Condamné au bûcher, Tristan s'évade en sautant
de la chapelle située sur une falaise. Frappée de la même
peine, Yseut est livrée aux lépreux. Mais Tristan l'enlève, et
les amants s'enfuient dans la forêt du Morroi. C'est là que les
surprend Marc, qui les épargne et leur laisse un message
ambigu. Grâce à l'entremise d'un ermite, et le philtre ayant
cessé son effet, les amants décident de rejoindre la cour. Marc
accepte, mais Yseut, avec l'aide de Tristan déguisé, sera bientôt conduite à se justifier par un serment aux termes habile-
ment ambigus. Ayant vécu quelque temps dans un souterrain,
Tristan revient auprès d'elle : les amants sont de nouveau me-
nacés par les barons jaloux, Tristan doit les éliminer. Ici s'arrête ce qui nous est resté du roman de Béroul.

On le voit, la structure de ce récit suggère une esthétique
contraire à celle que choisira Chrétien de Troyes, qui écrivait
à la même époque. Si la « conjointure » et l'entrelacement des
thèmes définissent le style de Chrétien, Béroul, lui, a choisi la
symétrie et le partage comme principes de composition et
thèmes de réflexion.

Mythologiques

À l'arrière-fond du récit, une histoire d'allure mythologique : combat de Tristan contre le redoutable Morholt qui venait exiger son tribut de jeunes gens, lutte contre le dragon avec pour enjeu la fille du roi d'Irlande. Ce sont là deux motifs mythologiques qui dans l'Antiquité ont servi pour Thésée et pour Jason. Mais leur association aboutit au rétablissement d'un équilibre dans les échanges ; au rapt par lequel les Irlandais terrorisaient les Cornouaillais succède un mariage royal : Yseut apparaît alors dans sa valeur d'échange, valeur primitive.

Le rôle de certains personnages reflète les puissances de l'autre monde, celui des « fées » — héritières des Parques et des Nymphes. Dans les rapports entre les fées et les humains apparaissent notamment des contrats portant sur la durée de l'échange amoureux : le conte dont s'inspire Béroul a recours à un philtre magique pour expliquer la contrainte et la limite du sortilège qui unit les amants. Mais Yseut, pourtant héritière de la science magique manifestée par sa mère qui prépara le breuvage, subit elle aussi le charme, au lieu de le maîtriser ; et cette transformation, ou cet accident, modifie totalement la signification de l'épisode. La féminité puissante et redoutable des contes irlandais perd sa souveraineté, Tristan n'est plus la victime d'un charme qui soumet un mortel à un être immortel : tous deux sont également soumis à la passion amoureuse pour une durée déterminée. Mais ce temps écoulé, les amants sont rendus à leur liberté. Cela les conduira à une autre définition de leurs rapports : la merveille fait place à la courtoisie.

L'auteur

On ne sait rien de lui, sinon que sa langue est un dialecte français de Normandie, dont il est probablement originaire (cf. p. 43, n. 5). Béroul se nomme par deux fois, aux vers 1268 (p. 76) et 1790 (p. 92). Dans les deux occasions il s'agit de faire référence à une source, écrite dans le second cas, qui assure la légitimité de son récit, et qu'il suit au plus près.

Les nombreuses interventions d'auteur sont d'un autre type, elles nous maintiennent dans le type de la relation que le jongleur épique ou le conteur populaire établissent avec leur public. À chaque instant celui-ci est interpellé, invité à écouter, à s'émouvoir. Ces interventions ne sont pas disséminées au hasard. Leur rôle est de régie, elles soudent les différents épisodes et soulignent les moments les plus pathétiques, de danger ou de crise ; la rhétorique construit le pathétique, qui met à l'unisson le personnage et le public.

Ce public a d'ailleurs son répondant dans la fiction, avec ce peuple qui participe intensément à tous les événements, manifestant crainte, douleur ou joie, mais toujours en complicité avec les amants — car plus que Thomas, Béroul pose naïvement, brutalement, le problème de la contradiction entre le désir et l'ordre. Il est en somme le chœur de ce théâtre imaginaire, qui commente le drame sans souci de moralité, mais dans la pure logique du désir amoureux : le roman flatte le désir, il en est la rêverie.

Le poème de Béroul, marqué qu'il est par le rapport théâtral avec son public, n'est pas construit selon un schéma dramatique, mais progresse par une succession d'épisodes parfois répétitifs. Plusieurs signes dans le texte nous aident à distinguer ces unités. D'abord les paragraphes, marqués par l'écriture du manuscrit, que nous suivons dans notre traduction : ce sont des unités de lecture permettant de se repérer — et de se reposer — dans l'ensemble que forme chaque épisode, au niveau supérieur. Le début de l'épisode, lui, est souligné par une formule d'appel à l'attention du public, le sujet étant alors annoncé comme un titre, en même temps que le profit que l'on pourra tirer de cet exemple. Ainsi lors de la condamnation des amants : « *Écoutez, seigneurs, et sachez combien Dieu est plein de miséricorde. Il ne veut pas la mort du pécheur. Il avait entendu les clameurs, les plaintes du pauvre peuple ému par le supplice qui attendait Tristan et Yseut.* » (p. 66.) Ou encore, au tout début de l'épisode au cours duquel Tristan et Yseut endormis seront découverts par le forestier puis par Marc : à la fraîcheur délicieuse et calme de l'aurore va succéder l'ardeur du soleil et la colère du roi : « *Seigneurs, c'était un jour d'été, à l'époque où l'on moissonne, quelque temps après la Pentecôte. Un matin, à l'heure de la rosée, les oiseaux chantaient le lever du jour. [...] Écoutez, seigneurs ! Quelle aventure ! Elle a failli mal tourner pour eux* » (p. 92 et 94).

Symétries

Nous ne savons pas comment était annoncé le premier épisode, que nous prenons au moment où les amants, surveillés par le roi Marc caché dans un arbre, poursuivent leur dialogue en fonction de cette présence qu'ils ont devinée. Cet épisode se termine par un retour à l'ordre qui avait été troublé par la dénonciation du nain Frocin : Marc est d'accord pour que Tristan fréquente sa chambre. On nous raconte ensuite l'initiative des trois traîtres amenant le nain à fabriquer le piège de la farine où doivent s'imprimer les pas de Tristan. Le piège est repéré. Tristan saute pour ne pas marcher dans la farine, mais l'effort rouvre une blessure et c'est le sang qui marque la farine, comme aussi les draps — rouge sur blanc. Cette fois Tristan est bien pris au piège. On comprend que cet épisode est couplé avec le précédent, celui du dialogue sous l'arbre, pour constituer une séquence : piège qui échoue/ piège qui réussit. De tels effets de symétrie et d'opposition entre épisodes donnent un rythme au poème narratif.

Après l'arrestation de Tristan et d'Yseut nous avons encore deux épisodes couplés. On part de l'annonce de la mort qui menace les amants, mais qui va provoquer la pitié de Dieu, touché par les cris du peuple. Tristan va s'échapper grâce à la chapelle d'où il saute sur le rivage. Le salut d'Yseut est assuré en deux étapes : elle échappe au bûcher parce qu'elle est livrée au feu des lépreux (le feu de leur peau à vif, l'ardeur de leurs désirs sexuels), elle échappe à ceux-ci grâce à l'embuscade

tendue par Tristan. Au terme de ces deux épisodes, retour à la
tranquillité, ou du moins à la sécurité de la forêt du Morroi,
où les amants se réfugient.

La vie dans la forêt ne constitue pas un épisode, on y reviendra : c'est un thème qui déborde les structures narratives et
entre dans leur composition comme un motif musical. L'épisode des oreilles de cheval du roi élimine indirectement l'un
des adversaires des amants, le nain, qui dans un premier temps
avait été responsable de leur condamnation. Dans la forêt, l'ermite tente de mener les amants au repentir, mais en vain ; cet
échec de la première intervention d'Ogrin sera reparé plus
tard, entraînant la soumission des amants. Ainsi qu'on le voit,
le couplage des épisodes reste le principe de composition de
toute la première partie du roman.

Ce principe ne semble plus concerner l'épisode du chien
Husdent, ni la surprise des amants dans la loge de feuillage
Celle-ci est la péripétie la plus théâtrale (p. 92 à 103). Après
un préambule qui reprend l'exorde traditionnel de la poésie
lyrique, le motif de l'été se développe sous la forme d'une
description de ce qui se passe vers midi ; les amants, d'abord
découverts par un forestier qui avertit le roi, reçoivent pendant leur sommeil la visite de ce dernier. Le paroxysme de
l'angoisse est atteint quand le roi pénètre dans la loge de
feuillage l'épée à la main, pour les tuer. Mais le suspense dramatique se résume dans le geste retenu, et le tour grammatical exprimant l'imminence du danger finalement écarté :
« *Déjà le coup allait s'abattre sur eux, il les aurait tués, et c'eût
été un grand malheur, quand il remarqua qu'elle avait gardé sa
chemise, qu'entre eux deux il y avait un espace, que leurs bouches n'étaient pas jointes* » (p. 98). C'est une des pages les
plus belles, les plus intenses de la littérature française. Nous
sommes à l'heure de ce qu'on pourrait appeler avec Paul
Claudel le « partage de midi », puisque à cet instant le philtre
a cessé d'exercer sa magie — partage entre deux hommes que
figure le rêve d'Yseut à ce moment-là (p. 101). Le roi, ayant
échangé les signes de leur amour contre les signes de son
pouvoir (l'anneau, l'épée, le gant), prépare ainsi le retour
d'Yseut.

Les épisodes suivants sont plus développés. Ils nous racontent l'entrevue décisive avec l'ermite, puis le retour d'Yseut (p. 122 à 131). La justification d'Yseut par le serment ambigu paradoxalement ramène Tristan, d'abord déguisé en lépreux, puis sous le masque du Chevalier Noir (p. 129 à 168). Le dernier épisode conservé par l'unique manuscrit raconte le châtiment de deux traîtres par Tristan.

Qu'en était-il de la fin du roman ?

Lieux

La fonction et la situation des personnages se définissent par rapport à une certaine image de la société. Si l'on peut dater approximativement le poème de la fin du XIIᵉ siècle — l'allusion à Malpertuis, et donc aux premières branches du *Roman de Renart*, nous amènerait aux alentours de 1180 —, il est difficile de retirer un portrait historique d'un décor romanesque : les effets d'archaïsme peuvent être fabriqués. On est frappé par une certaine simplicité rustique des mœurs royales. Tristan couche dans la chambre du roi : ce sera une marque d'estime et d'amitié de la part des rois jusqu'à la fin du Moyen Âge. Ce qui complique la chose, c'est la présence de la reine dans cette même chambre. L'espace qui se construit autour de cette pièce, avec sa fenêtre donnant sur le jardin où passe une rivière, la fenêtre intérieure donnant sur l'escalier, la grande salle où se réunissent les barons, au-dessus de la salle d'armes, tout cela peut cadrer avec une époque féodale assez large, mais avec un horizon très limité, se ramenant peut-être à un coin de la Cornouailles anglaise. Monde familial et familier à quoi fait contraste la cour plus riche et plus merveilleuse du roi Arthur. Mais la cour du roi Marc est aussi un lieu dont l'archaïsme s'ouvre à des apparitions mythiques ou magiques.

Les indications les plus repérables par rapport à la réalité concernent les institutions juridiques : procédure du flagrant délit dans la première partie, ou de *l'escondit*, de la « justification », dans la seconde partie. L'impression prévaut que nous avons affaire à un montage, à une stylisation romanesque ; ainsi le bûcher n'est pas la punition habituelle pour l'épouse adultère : on y brûle les hérétiques et les sodomites. Dinas, le sénéchal exerçant des fonctions importantes de justice — c'est lui qui demande un jugement en bonne forme pour Yseut — reflète bien la réalité, mais son rôle est surtout marqué par la sympathie qu'il témoigne à la reine. Il fait partie du système dramatique répartissant les personnages en opposants et adjuvants, non pour donner une image fidèle de la société de l'époque, ni même pour servir à une démonstration de caractère idéologique, mais pour rythmer l'aventure des amants pris dans la contradiction du désir et du désordre.

Les personnages secondaires

Le roman en effet pose le problème du désir non pas dans l'utopie d'une pure nature, mais dans le contexte d'une société construite selon des normes vraisemblables, sinon réelles. Et cette société qui entoure le couple se divise entre ceux qui les aident, et ceux qui les contrarient. Ainsi des deux forestiers : l'un, croyant bien servir le roi, est heureux de lui annoncer qu'il a découvert les amants — il va mourir d'une façon honteuse. Orri, au contraire, accorde son hospitalité à Tristan, et apparemment les amants ont passé maintes nuits chez lui. D'autres personnages secondaires font également partie du décor environnant les amants : il faut noter qu'ils n'agissent pas clairement pour le compte du roi Marc. C'est d'abord le nain Frocin, fourbe, bossu, mais astrologue du roi ; il lit dans les étoiles, et sait déchiffrer le thème astrologique d'une vie ; rusé, il se réjouit de tendre des pièges aux amoureux ; mais il possède aussi quelques traits mythologiques : semblable au barbier du roi Midas, il révèle aux barons que Marc a des oreilles de cheval, ce qui lui coûtera la vie, et son oraison funèbre est celle de l'opposant antipathique : « *Cela a fait plaisir à bien des gens…* » (p. 79)

À côté du nain, les barons félons traduisent bien cette nécessité pour le narrateur de construire un pouvoir antagoniste qui ne se confonde pas avec le roi, mais agisse en son nom. Ils sont souvent caractérisés d'après le modèle lyrique du *losengier*, du médisant (p. 50). Ce sont de grands barons. L'un aime chasser avec des chiens (p. 89), un autre, Denoalan, chasse le sanglier avec deux grands lévriers (p. 171). Au début ils sont trois, et ils sont encore trois après la mort de l'un d'eux : c'est sans doute non pas tant une erreur que le fait qu'il s'agit d'un nombre canonique dans les contes — l'un des traîtres est nommé Ganelon, nom emblématique du seigneur félon depuis *La Chanson de Roland*. On peut s'interroger sur leur rôle politique, puisqu'ils veulent défendre l'honneur du roi et prennent éventuellement l'avis de l'assemblée des barons (p. 117-118). Mais nous avons affaire à une histoire d'amour, non à un drame politique, et la haine qui inspire les opposants tient dans le système des valeurs poétiques une place négative.

C'est en fonction de ce code poétique qu'il faut interpréter la valeur positive des adjuvants. Il existe un certain parallélisme entre les personnages attachés à Tristan, comme Governal, son maître d'armes, son gouverneur, et ceux attachés à Yseut, comme Brengain sa suivante, et Périnis son chambellan. Governal représente la raison qui cherche à guider, à tempérer la passion, mais il est aussi un réconfort pour le héros souffrant ; exécuteur des basses besognes et des hautes œuvres, il est le compagnon de joute sur la Blanche Lande, et dans la forêt il préserve l'univers héroïque et amoureux des actions sans gloire. Du côté d'Yseut, Périnis remplit surtout la fonction de messager. Quant à Brengain, les limites de ce qu'il reste du texte ne lui donnent pas l'occasion de jouer le rôle important qu'on lui connaît par les autres versions.

L'ermite Ogrin est un médiateur, tentant de ménager l'intérêt du roi et celui des amants. Il ressemble à Dinas le bon sénéchal allié des amants, mais représente la sagesse religieuse, différente de la sagesse politique. Conscience qui juge mais aussi pardonne, il ménage le retour d'Yseut à la cour ; il compose et écrit la lettre du traité, car il sait écrire et connaît l'art de commencer et de terminer une lettre. Sa mission a quelques aspects fort temporels : il s'occupe d'habiller dignement Yseut pour son retour. L'ambiguïté du personnage tient à l'ambiguïté du pardon — au-delà du bien et du mal. Le dialogue entre la charité et l'amour humain est l'un des plus importants de la théologie : dans ce texte, l'ermite est à la croisée des chemins, à la charnière du récit. Entre le monde religieux et le monde humain, il essaie d'orienter le désir, de montrer que sa fatalité n'est qu'apparente, qu'il est compatible avec la liberté. Mais là surgissent d'autres difficultés, que va illustrer le couple des *fins amants*, des amants parfaits, une fois conjurée la magie du philtre.

Tristan

Dans la littérature épique, l'essentiel de l'action appartient au héros. Tristan est-il le personnage principal d'un roman héroïque ? L'accent est mis sur des exploits qui se distinguent des performances chantées dans les chansons de geste par un aspect plus primitif, plus miraculeux que militaire : le meilleur exemple en est le saut prodigieux qui permet à Tristan de s'évader par la chapelle. Au besoin il manie l'épée et la lance avec efficacité, mais c'est par l'arc qu'il se distingue des chevaliers des chansons de geste médiévales. Et surtout, Tristan est un héros masqué : d'abord par nécessité, comme fugitif. Mais il est très habile à se construire par le discours un personnage imaginaire : le mensonge est le meilleur de ses masques. La comédie qu'il joue au Mal Pas avant de servir de monture à Yseut pour traverser le marécage fait ressortir un aspect important de son personnage, qui l'apparente au jongleur, amuseur et menteur (*jangleur*). Tout cela est fondé sur l'art de la parole. Quant au masque du lépreux, qui établit un lien avec cet Yvain chef des lépreux à qui Marc livre son épouse pour la punir, il a un sens sexuel maintenant bien établi : le lépreux est un homme brûlé, tourmenté par un désir ardent dont il est en même temps puni. Son mal est confondu parfois avec une maladie vénérienne, comme le prouve l'allusion de Tristan à la contamination par une femme qui s'habille comme Yseut (il n'a pas osé dire qu'elle est Yseut) et qui est mariée à un lépreux. On croit alors, en effet, que la femme peut transmettre la maladie sans en souffrir elle-même. Mais ce détour par les idées scientifiques de l'époque nous ramène à la poésie amoureuse qui réunit l'image de la folie, de la maladie physique et du désir amoureux.

Renonçant à Yseut, Tristan lui dit qu'il n'aurait pu accepter cette séparation s'ils avaient pu vivre sans e dénuement où ils sont plongés dans la forêt. La scène touchante de leur séparation suggère la force de ce sentiment amoureux qui ne se confond plus avec le lien charnel. Ce nouveau régime de l'amour d'après le philtre est marqué par l'échange des gages : le chien contre l'anneau, deux symboles de la fidélité. Le service amoureux qui caractérise la séparation se traduit par un secours apporté à Yseut lorsqu'elle doit se justifier devant les deux cours réunies : Tristan semble prêt à tous les sacrifices, comme un *fin amant*. Pour quelle contrepartie ?

Yseut

En face du héros amoureux dont l'action inspirée par le désir dispute au roi Marc son épouse, celle-ci est d'abord l'objet convoité, conquis et reconquis. Elle a évidemment la beauté qui suscite le désir, une beauté dont on ne nous fait pas le portrait détaillé, ni même cette description traditionnelle dont par exemple les personnages de Chrétien de Troyes sont l'occasion. Ce qui résume et symbolise Yseut la Belle, ce sont les *crins sors*, la chevelure blonde aux reflets roux. Cette beauté de la chevelure d'Yseut, on ne la perd jamais de vue. Quand on mène la jeune femme au bûcher, ses cheveux tombent jusqu'à ses pieds, tressés avec un filet d'or. Plus tard, quand Tristan la rend au roi Marc, elle est très séduisante dans sa robe riche, avec ses yeux gris clair et ses cheveux blonds. Enfin, quand elle se présente au Mal Pas, elle a les cheveux coiffés en bandeaux et bien tirés, retenus par un ruban sous un diadème. Chevelure sensuelle, plus ou moins disciplinée selon les circonstances, signalant le pouvoir inquiétant de la sexualité féminine.

Mais Yseut est la reine, *franche*, *cortoise* (p. 39) : noble, et ne disons pas courtoise, mais d'un milieu aristocratique déjà raffiné. Son élégance, compromise par la vie dans la forêt, lui est rendue par l'ermite. Et comme elle est élégante quand elle se présente sur la rive du marécage au Mal Pas ! Elle porte un vêtement de soie importée de Bagdad, fourré d'hermine blanche, un manteau à traîne, tout cela faisant contraste avec la saleté des lieux et le déguisement de Tristan. Elle est habituée à vivre dans le luxe et les honneurs. Elle est cultivée, compétente en justice et en politique, comme le prouve sa victoire par un serment calculé. Ce qui chez elle frappe le plus, c'est sa virtuosité quand il s'agit de se tirer d'un mauvais pas. Car elle sait surtout dire des demi-vérités ; cette technique est à la base du faux aveu qui servira dans le serment de disculpation. Il est exemplaire : rien dans le serment n'est faux, si on le prend à la lettre. Tout est soigneusement calculé. Et lorsqu'elle monte à califourchon sur le dos de Tristan, elle mime un rapport sexuel inversé tout en commentant les attributs du faux lépreux. Bravant les coutumes et les convenances de la féminité, elle se montre femme libérée de toute entrave.

Cette liberté inquiétante, l'étrangère l'apportait-elle d'Irlande ? Que se passait-il là-bas ? La mère d'Yseut y avait préparé le philtre amoureux, le *Lovedrink*, le *vin herbé*. Elle pratiquait donc la magie. Yseut n'avait-elle pas elle-même une part de ce savoir occulte ? Par deux fois elle a guéri Tristan de blessures envenimées. Les contes irlandais dont les modèles remontent au Xe siècle ont gardé le souvenir de femmes qui manient les potions pour se faire aimer, ainsi dans *Diarmaid et Grainne* il s'agit d'un soporifique associé à une contrainte qui oblige le jeune homme à fuir avec la femme ; et dans *Cano et Gartnain* un charme endort la compagnie, et l'épouse du vieux roi Marcan peut ainsi fuir avec le jeune héros. Le savoir d'Yseut la *guivre*, la vipère, garde le souvenir de ces sortilèges.

Le mystère d'Yseut est un peu celui des personnages des contes merveilleux, que le récit n'analyse pas, mais qu'il montre de l'extérieur.

Toutefois Béroul n'aurait pas beaucoup contribué au succès romantique de la légende s'il n'avait pas donné, avec une profondeur sentimentale, une réelle touche d'humanité à son personnage. Yseut manifeste de profondes émotions. Quand elle rentre de l'entretien dans le verger, elle est toute « décolorée » — très pâle, blême : quelqu'un l'a trahie, qui ? Quand on amène Tristan au bûcher, elle pleure, mais éprouve en même temps un sentiment de rage ; de même quand elle aperçoit Godoïne en train de l'épier. Cette *ire*, cette colère qui la saisit jusque dans la crainte renvoie à quelque mystère de son tempérament. Mais nous sommes surtout attentifs aux mouvements qui révèlent son amour profond pour Tristan ; la seconde partie est à cet égard plus riche en nuances. Une fois revenue chez elle à la cour, elle est l'objet des soins empressés de son mari. Mais un jour le roi rentre en hâte de la chasse, son épée au côté. Yseut se lève, lui prend son arme, s'assied à ses pieds. Le roi lui tend la main pour la relever. Elle s'incline, puis redresse la tête pour le regarder au visage. Le voyant courroucé elle a peur pour son ami, elle craint qu'il n'ait été repris. Elle tombe évanouie ; elle est devenue livide. Cette peur n'est pas feinte. L'amour, cette fois, aura été plus fort que la prudence, un amour plus durable que le philtre, plus fort que la séparation. Amour sentimental, qui garde le souvenir des joies sensuelles du passé. Marc, le mari, devine-t-il le secret ? Qu'a-t-il compris au juste ?

Marc

Marc apparaît comme l'obstacle à la réalisation du désir. On peut le définir par sa fonction dramatique. Mais Béroul, nous l'avons déjà remarqué, approfondit les schémas traditionnels. Tandis que de nombreuses versions de la légende traitent Marc de l'extérieur, et sans nuances, d'autres, comme

le roman de Thomas, abordent la redoutable énigme de la
jalousie. Marc enrage de ne pouvoir jouir que du corps
d'Yseut alors qu'un autre dispose de son cœur ; jalousie courtoise, qui est l'inverse de la jalousie physique plus caractéristique de la mentalité moderne. Dans le poème de Béroul, on
remarque tout de suite une évolution dans la répétition même
des situations. La figure d'abord impénétrable du roi en colère
et disposé à se faire justice se change en un visage plus tourmenté de mari qui épargne les amants puis pardonne.

Dans la littérature, le mari trompé est en effet traité de deux
façons opposées : mari soupçonneux, il persécute les amants ;
mari bafoué, il est ridiculisé par eux. Les premières images
que le roman de Béroul nous donne de Marc sont bien celles
du mari soupçonneux. Le voilà perché sur un arbre ; ce n'est
pas une situation digne d'un roi, mais elle représente bien la
hantise de la surveillance : la verticalité du regard qui épie se
retrouvera dans le dernier épisode conservé du roman. Et
sommes-nous invités à rire de voir le mari berné, la victime
donnant le signal de son propre rire de niais ? Quand il réconcilie Brengain et Tristan qui ont simulé leur dissentiment,
Yseut se met à rire, et le roi rit plus encore. Lors de l'épisode
du Mal Pas, le roi rit aux propos du faux lépreux évoquant *la
bele Yseut*. Ce malheureux mari est encore à rire d'une plaisanterie dont il fait les frais. À moins qu'il ne soit plus malin
qu'il ne semble… Mais l'infortune de Marc n'est pas celle de
n'importe quel mari, c'est celle d'un roi, et le rôle de Tristan
est affecté par la qualité royale de l'époux : cela pose le problème de sa faute non pas seulement dans la perspective
sociale et matrimoniale, mais surtout dans la perspective féodale et politique. Par ce biais, nous sommes plus près de la
notion sacrée de la loi à laquelle s'oppose le désir. C'est bien
l'institution royale qui est sacrée, et non le mariage : aucune
référence n'est faite à la théologie.

Le mystère du personnage de Marc tourne autour du pardon. Le retour d'Yseut n'est évidemment possible que par le
coup de théâtre de la loge de feuillage. Béroul a préparé le
revirement du roi avec une grande vraisemblance psychologi-
que et dramatique. La longue séparation du roi et de son

épouse se traduit par une certaine nostalgie chez le roi. Averti par le forestier, le roi tient à se rendre seul sur les lieux. Il veut se venger, tuer même, mais déjà en lui le doute est entré. Le spectacle des amants endormis est chargé d'une signification complexe qui se traduit bientôt par l'indécision remplaçant l'intention meurtrière, puis par un raisonnement qui va conduire à une conclusion mal fondée logiquement, mais profondément humaine. L'attendrissement devant les jeunes gens endormis et séparés par l'épée nous rappelle la complexité des rapports entre Tristan et Marc. Il y a en effet le décalage d'une génération, et par conséquent la confusion de l'image du mari avec celle de l'oncle ou père idéal, pour Tristan. Les deux hommes qui se disputent Yseut, qui se partagent la femme, se trouvent dans ce rapport équivoque que les troubadours, depuis Guillaume d'Aquitaine, ont cherché à déguiser selon leurs fantasmes masculins : la femme est objet d'échange dans le monde économique, politique et même familial. Mais si notre poème rejoint ainsi finalement la signification cachée de la *fine amor*, il s'en éloigne par l'accent tragique que donne à la confrontation la parenté des personnages : fascination pour l'image de la mère, et peur du père.

De la faute au repentir, de la magie à la courtoisie

Denis de Rougemont dans *L'Amour et l'Occident*[1], aussi bien que Michel Cazenave dans *Le Philtre et l'Amour*[2], s'accordent pour faire de la légende de Tristan et Yseut un mythe tragique, l'un pour le critiquer, l'autre pour l'approuver. Comment le problème se pose-t-il pour le roman de Béroul ? Ici la passion apparaît non tant comme un *péché* ou une *vilenie* que comme une faute envers la société, envers le roi,

---

1. D. de Rougemont, *L'Amour et l'Occident*, Plon, 1939.
2. M. Cazenave, *Le Philtre et l'Amour. La Légende de Tristan et Iseut*, Corti, 1969.

bien plus qu'envers Dieu. Car c'est en victimes que les amants
se posent devant l'ermite Ogrin : leur amour n'est pas un
amour normal, naturel, mais le résultat de cette médecine
qu'ils ont bue sans le vouloir. Ogrin ne voit de solution pour
eux que dans le repentir, impossible cependant aussi longtemps qu'ils sont sous l'emprise du philtre. Cette thèse rappelle la conception antique de la nécessité. L'excuse serait en
accord avec l'évolution des idées religieuses telle que la retrace
Jean-Charles Payen[1] : la crainte d'un Dieu inexorable, l'attri-
tion et son cortège de terreurs cèdent la place à une morale
de l'intention. Le destin des amants serait évidemment tragique s'ils étaient punis pour cette faute qu'ils n'ont pas voulu
commettre. Mais le règne de la fatalité s'achève avec le philtre
sans qu'ils soient mis à mort. Lors de leur seconde entrevue
avec l'ermite, les amants se sentent de nouveau responsables
de leurs actes, l'auteur emploie le mot de *repentir* pour quali-
fier ce changement. L'argumentation de l'ermite, d'inspira-
tion profondément chrétienne, écarte la vision tragique que
faisait peser sur la première partie du roman l'atmosphère
mythologique et magique du conte. Autrement dit, Béroul,
dans la première partie du roman, conduit le couple adultère
de la faute tragique au pardon par le repentir.

Mais le roman ne s'arrête pas là, et notre poème nous montre ensuite comment les amants, par libre choix, vont essayer
de revivre ensemble, ou du moins de se rencontrer en secret,
de manière fugitive. Ce qui désormais rend vulnérables les
amants à un nouveau destin tragique, c'est leur dépendance à
l'égard de la « fortune », c'est-à-dire de la chance. On ne sait
exactement quel dénouement Béroul avait prévu ; on peut
imaginer que dans son roman les deux amants mouraient par
erreur, comme ils se sont aimés d'abord par erreur. La mort,
de toute façon, stigmatisant l'incompatibilité de l'amour pas-
sionné avec l'ordre social : l'auteur manifeste sa sympathie à
l'égard des amants, mais fait bien apparaître le désordre dans
lequel ils vivent, d'abord dans l'ivresse du *vin herbé*, puis

---

1. J.-C. Payen, *Le Motif du repentir dans la littérature française
médiévale*, Genève, Droz, 1967.

dans la folle aventure de leur fidélité malgré tout. Ces deux images du désordre nous renvoient à une certaine idée de la faute qui reste de bout en bout agissante : faute œdipienne du fils adopté, amant de la reine qui est aussi l'épouse du père adoptif. Au-delà de la morale, la profonde signification du poème remet en cause les rapports du désir et du possible, ou, si l'on veut parler plus clairement, de la sexualité et de la mort.

Thèmes, motifs, images

Il ne faut pas cependant projeter sur ce texte un éclairage venu de l'idéologie moderne : la littérature du XIIe siècle parle par images, il y a plus de sens dans l'agencement des thèmes et des motifs que dans les discours.

Ainsi par exemple du thème de la forêt, qui court au long du récit, s'opposant au thème de la cour : loin d'en faire un signe du paradis naturel, il faut chercher sa signification dans cette opposition. Pour Tristan comme pour Yseut, le monde de la cour est le milieu social normal, où s'exercent les activités habituelles ; de la vie sauvage qu'ils doivent mener durant leur fuite, les chevaliers du XIIe siècle ne se faisaient pas une idée charmante ; il n'y a pas pour les amants régression jusqu'à la condition, un instant évoquée (p. 81), de l'homme qui ne se nourrit que d'herbes et de glands, mais retour à la vie du chasseur qui ne vit que de gibier, sans pain. La chasse est un motif ambigu, car, moyen de subsistance ici, elle est aussi le *deduit*, le plaisir, le jeu sportif auquel se livrent les gens de la cour ; elle met en lumière les rapports de la cour et de la forêt ; ici, la vie des fugitifs les contraint même à changer les règles de la chasse, puisqu'ils doivent apprendre au chien à chasser sans aboyer. Le schéma du poème de Béroul se confirme ainsi sur le plan thématique : dans la première partie, la passion arrache les amants à la vie courtoise et les jette dans la vie sauvage ; dans la seconde partie, ils sont revenus à cette vie courtoise dont Arthur est la figure maîtresse.

Si la thématique soutient la signification du poème, d'autres
motifs plus restreints, s'attachant à des objets, prennent une
valeur symbolique, ou plus exactement emblématique. C'est le
cas pour les vêtements : ainsi, habillée par les soins de l'ermite
Ogrin, Yseut la reine efface sa faute par l'élégance et le luxe
de ses vêtements. C'est ainsi aussi que la scène capitale de la
loge du feuillage, d'où vont naître le pardon du roi Marc et le
repentir des amants, tourne autour de l'interprétation que
chacun des personnages va donner du langage emblématique
des objets. La mise en scène de l'épisode nous est décrite bien
avant l'arrivée du roi Marc. Quand le roi arrive, on a un peu
oublié ce que nous a dit l'auteur sur le sommeil des amants,
quelque deux cents vers plus haut. Nous n'en craindrons que
davantage la colère du roi, et serons d'autant plus surpris de
sa réaction. De l'épée mise entre eux on ne nous a d'abord
donné aucun commentaire. Pourquoi Tristan a-t-il ainsi disposé son épée ? Sans doute pour l'avoir à portée de la main.
Mais par ce geste inconscient il a manifesté un secret besoin
de réserve à l'égard de sa compagne. La reine a mis à son
doigt l'anneau de son mariage, et ainsi fait signe au roi Marc
qui le lui a donné. Et si l'anneau ne demande qu'à tomber du
doigt amaigri, cela facilitera la substitution à laquelle va se
livrer le roi Marc. L'ensemble de ces signes figuratifs constitue
donc un rébus emblématique, cohérent et redondant, à déchiffrer. Le roi Marc va se tromper, non sur le code, sur la déno-
tation des signes, mais sur la connotation. Encore a-t-il raison
de se laisser abuser, si l'innocence ainsi affirmée correspond à
une secrète aspiration des deux amants fatigués. Un élément
paraît démentir leur innocence — leurs visages rapprochés ;
mais un regard plus attentif perçoit l'espace séparant leur
bouche, ramenant le doute et l'ambiguïté, et finalement ce
signal confirme les deux autres. Que signifie alors ce soleil qui
descend sur le visage d'Yseut et le fait reluire ? Il y a comme
une attente à cette heure de midi où « *vent ne cort ne fuelle ne
trenble* » (p. 93-94).

À partir de là on peut analyser la composition du message
par les mêmes objets figuratifs que Marc destine aux amants.
C'est ce qu'il appelle faire une *demostrance* (p. 99), « fabri-

quer des indices ». Le sens du message qu'il va composer nous est d'abord donné, le signifié avant le signifiant. Le roi a vu les amants, il a eu pitié d'eux, il ne va pas les tuer. Il transforme donc le rébus emblématique par substitution, soustraction et addition d'objets. Il reprend l'anneau d'Yseut, il ajoute son gant pour protéger Yseut du soleil, il substitue son épée à celle de Tristan. Mais le récit décrivant l'exécution du message apporte beaucoup de nuances : c'est d'abord la tendresse avec laquelle il protège Yseut contre le rayon de soleil, puis la délicatesse avec laquelle il enlève l'anneau, enfin la détermination avec laquelle il change les épées. Ces objets ont aussi un sens en rapport avec les institutions de l'époque, ce qui ajoute des connotations de caractère social ou politique. Mais l'essentiel concerne sans doute les relations des personnages. Quoi qu'il en soit, les amants vont se tromper sur le sens du message et reprendre la fuite : il y a dans cette scène un sens oraculaire qui échappe aux personnages.

Les symboles comme les structures narratives contribuent à faire de ce poème une illustration remarquable de l'éternel conflit du désir et de la loi, mais dans des termes et selon des images qui appartiennent bien au XIIe siècle. Si le roman fabrique vraiment un mythe de la passion amoureuse, il s'agit bien chez Béroul d'un mythe médiéval et non pas d'un mythe moderne. Dans la mesure où ce récit nous concerne encore, nous pouvons dire que nous retrouvons par lui la dimension historique de notre culture occidentale, l'origine de notre conscience malheureuse ou exaltée, mélancolique ou enjouée, bref la genèse de nos passions. On n'épuise pas le sens d'un texte par une formule : c'est un tissu brodé d'images, un texte qu'il faut voir, comme un rêve, par l'imagination.

Daniel Poirion[1].

---

1. Les notes de cette édition sont également dues au regretté Daniel Poirion et ont été, comme la notice, adaptées par Christiane Marchello-Nizia.

PRINCIPES D'ÉDITION
ET DE TRADUCTION

Ce long passage central du poème de Béroul ne nous a été transmis que par un manuscrit unique, conservé à la Bibliothèque Nationale de France sous la cote fr. 2171. Il est en fort mauvais état et date de la fin du XIIᵉ siècle.

Un certain nombre de vers étaient effacés ou illisibles sur le manuscrit, qui à certains endroits a été détérioré par l'humidité. D'autres vers manquent, oubliés sans doute par le copiste, comme la rime le montre. Certains de ces vers ont pu être rétablis, complètement ou en partie. Mais ce n'est pas toujours le cas : les lacunes ont été signalées par des points lorsqu'il s'agit simplement d'un mot ou de quelques mots, par des lignes de points lorsqu'il s'agit de vers entiers.

Le manuscrit, copié de façon assez négligente semble-t-il parfois, donne un bon nombre de leçons incompréhensibles ou visiblement erronées : à l'exemple de nos prédécesseurs, nous avons corrigé dans ces cas-là (voir pour le détail des corrections les variantes de l'édition donnée dans la Pléiade, p. 1154-1208).

D. P.

BIBLIOGRAPHIE

Quelques éditions et adaptations rassemblant plusieurs versions

Le Roman de Tristan et Iseut renouvelé par Joseph BÉDIER,
    Piazza, 1900 (plusieurs rééditions jusqu'en 1965).
Tristan. La merveilleuse histoire de Tristan et Iseut restituée
    par André MARY, Gallimard (1941), « Folio classique »,
    1973 (préface de Denis de Rougemont).
Tristan et Iseut. Les « Tristan » en vers, édition et traduction
    par Jean-Charles PAYEN, Garnier, 1974.
Tristan et Iseut. Les poèmes français, la saga norroise, par Phi-
    lippe WALTER et Daniel LACROIX, Le Livre de poche,
    « Lettres gothiques », 1989.
Tristan et Yseut. Les premières versions européennes, édition
    publiée sous la direction de Ch. MARCHELLO-NIZIA, avec la
    collaboration de R. BOYER, D. BUSCHINGER, A. CRÉPIN, M.
    DEMAULES, R. PÉRENNEC, D. POIRION, J. RISSET, I. SHORT,
    W. SPIEWOK, H. VOISINE-JECHOVA, Gallimard, « Biblio-
    thèque de la Pléiade », 1995.

Éditions et traductions du Tristan et Yseut *de Béroul*

BÉROUL, *Le roman de Tristan, poème du XIIe siècle*, édité par
    Ernest MURET, 1903 (4e édition revue par L. M. Defourques,
    Champion, 1947).

BÉROUL, *The Romance of « Tristran »*, edited by Alfred EWERT, Oxford, Blackwell, 1939 (n^elle éd., New York, Barnes & Noble, 1971).

BÉROUL, *Le Roman de Tristan traduit de l'ancien français*, par Pierre JONIN, Champion, 1974.

BÉROUL, *Tristan et Yseut*, présenté, traduit et annoté par Daniel POIRION, Imprimerie nationale, « Lettres françaises », 1989.

Études

BAUMGARTNER, Emmanuèle, *Tristan et Iseut. De la légende aux récits en vers*, PUF, « Études littéraires », 1987.

CASTEL, Robert, « Le roman de la désaffiliation. À propos de *Tristan et Iseut* », *Le Débat*, 61, septembre-octobre 1990, p. 152-164.

CAZENAVE, Michel, *Le Philtre et l'Amour. La Légende de Tristan et Iseut*, José Corti, 1969.

HUCHET, Jean-Charles, *Tristan et le sang de l'écriture*, PUF, 1990.

MARCHELLO-NIZIA, Christiane, « Amour courtois, société masculine et figures du pouvoir », *Annales E.S.C.*, 36/6, 1981, p. 969-982.

—, « Mort du neveu, meurtre du fils : le cas *Tristan* », *Georges Duby, L'écriture de l'Histoire*, Cl. DUHAMEL et G. LOBRICHON éd., De Boeck, 1996, p. 331-339.

MIQUEL, André, *Deux histoires d'amour, de Majnûn à Tristan*, Odile Jacob, 1995.

POIRION, Daniel, « Le *Tristan* de Béroul : récit, légende et mythe », *L'Information littéraire*, XXVI, 1974, p. 199-207.

ROUGEMONT, Denis de, *L'Amour et l'Occident*, Plon, 1939 (rééditions en 1956 et 1972).

WALTER, Philippe, *Le Gant de verre. Le Mythe de Tristan et Yseut*, La Gacilly, Artus, 1990.

C. M.-N.

DOSSIER

DANS LA COLLECTION
FOLIO CLASSIQUE

ANDERSEN. *Contes choisis*. Édition établie par Alain Faudemay. Traduction de P. G. La Chesnais.

ANONYME. *Fabliaux*. Présentation et traduction de Gilbert Rouger.

ANONYME. *La Farce de Maître Pathelin*. Présentation et traduction nouvelle de Michel Rousse. Édition bilingue.

ANONYME. *Le Roman de Renart*. Préface de Béatrix Beck. Édition établie par Paulin Paris.

ANONYME. *Tristan et Iseut*. Préface de Denis de Rougemont. Édition établie par André Mary.

BALZAC. *Le Colonel Chabert*. Préface de Pierre Barbéris. Édition établie par Patrick Berthier.

BALZAC. *Eugénie Grandet*. Édition présentée et établie par Samuel S. de Sacy.

BALZAC. *Ferragus*. Édition présentée et établie par Roger Borderie.

BALZAC. *Le Père Goriot*. Préface de Félicien Marceau.

BAUDELAIRE. *Les Fleurs du Mal*. Édition présentée et établie par Claude Pichois.

BEAUMARCHAIS. *Le Mariage de Figaro*. Édition présentée et établie par Pierre Larthomas.

BÉROUL. *Tristan et Yseut*. Présentation et traduction de Daniel Poirion. Préface de Christiane Marchello-Nizia.

CHRÉTIEN DE TROYES. *Yvain ou le Chevalier au Lion*. Présentation et traduction de Philippe Walter.

CORNEILLE. *Le Cid*. Édition présentée et établie par Jean Serroy.

CORNEILLE. *L'Illusion comique*. Edition présentée et établie par Jean Serroy.

DAUDET. *Lettres de mon moulin*. Édition présentée et établie par Daniel Bergez.

DEFOE. *Robinson Crusoé*. Édition présentée et établie par Michel Baridon. Traduction de Pétrus Borel.

DUMAS. *Les Trois Mousquetaires*. Introduction de Roger Nimier. Édition établie et annotée par Gilbert Sigaux.

FLAUBERT. *Bouvard et Pécuchet*. Édition présentée et établie par Claudine Gothot-Mersch.

FLAUBERT. *Madame Bovary*. Édition présentée et établie par Thierry Laget.

FLAUBERT. *Trois Contes*. Préface de Michel Tournier. Édition établie par Samuel S. de Sacy.

GRIMM. *Contes choisis*. Préface de Jean-Claude Schneider. Choix et traduction de Marthe Robert.

HOMÈRE. *Odyssée*. Édition présentée par Philippe Brunet. Traduction de Victor Bérard.

HUGO. *Le Dernier Jour d'un Condamné*. Édition présentée et établie par Roger Borderie.

HUGO. *Les Misérables*, I et II. Édition présentée et établie par Yves Gohin.

HUGO. *Quatrevingt-treize*. Édition présentée et établie par Yves Gohin.

KAFKA. *La Métamorphose*. Présentation et traduction de Claude David.

LAFAYETTE. *La Princesse de Clèves*. Édition présentée et établie par Bernard Pingaud.

LA FONTAINE. *Fables choisies*. Édition présentée par Jean-Pierre Chauveau. Texte établi par Jean-Pierre Collinet.

MARIVAUX. *L'Île des Esclaves*. Édition présentée et établie par Henri Coulet.

MAUPASSANT. *Bel-Ami*. Édition présentée et établie par Jean-Louis Bory.

MAUPASSANT. *Boule de suif*. Édition présentée et établie par Louis Forestier.

MAUPASSANT. *Contes de la Bécasse*. Préface d'Hubert Juin.

MAUPASSANT. *Le Horla*. Édition présentée et établie par André Fermigier.

MAUPASSANT. *Pierre et Jean*. Édition présentée et établie par Bernard Pingaud.

MAUPASSANT. *Une vie*. Édition présentée et établie par André Fermigier.

MÉRIMÉE. *Carmen*. Édition présentée et établie par Adrien Goetz.

MÉRIMÉE. *La Vénus d'Ille. Colomba. Mateo Falcone*. Édition présentée et établie par Patrick Berthier.

MOLIÈRE. *L'Avare*. Édition présentée et établie par Georges Couton.

MOLIÈRE. *Le Bourgeois gentilhomme*. Édition présentée et établie par Georges Couton.

MOLIÈRE. *Dom Juan*. Édition présentée et établie par Georges Couton.

MOLIÈRE. *L'École des femmes*. Édition présentée et établie par Jean Serroy.

MOLIÈRE. *Les Femmes savantes*. Édition présentée et établie par Georges Couton.

MOLIÈRE. *Les Fourberies de Scapin*. Édition présentée et établie par Georges Couton.

MOLIÈRE. *Le Malade imaginaire*. Édition présentée et établie par Georges Couton.

MOLIÈRE. *Le Médecin malgré lui*. Édition présentée et établie par Georges Couton.

MOLIÈRE. *Le Misanthrope*. Édition présentée et établie par Jacques Chupeau.

MOLIÈRE. *Le Tartuffe*. Édition présentée et établie par Jean Serroy.

PERRAULT. *Contes*. Édition présentée par Nathalie Froloff. Texte établi par Jean-Pierre Collinet.

PRÉVOST. *Manon Lescaut*. Édition présentée et établie par Claire Jaquier.

RACINE. *Andromaque*. Préface de Raymond Picard. Édition établie par Jean-Pierre Collinet.

RACINE. *Britannicus*. Édition présentée et établie par Georges Forestier.

RACINE. *Phèdre*. Édition présentée et établie par Raymond Picard.

RIMBAUD. *Poésies. Une saison en enfer. Illuminations.* Préface de René Char. Édition établie par Louis Forestier.

ROSTAND. *Cyrano de Bergerac*. Édition présentée et établie par Patrick Besnier.

SAND. *La Mare au Diable*. Édition présentée et établie par Léon Cellier.

SHAKESPEARE. *Roméo et Juliette*. Préface et traduction d'Yves Bonnefoy.

STENDHAL. *Le Rouge et le Noir*. Préface de Jean Prévost. Édition établie par Anne-Marie Meininger.

STEVENSON. *L'Île au trésor*. Présentation et traduction nouvelle de Marc Porée.

VALLÈS. *L'Enfant*. Édition présentée et établie par Denis Labouret.

VOLTAIRE. *Candide ou l'Optimisme*. Édition présentée par Jacques Van den Heuvel. Texte établi par Frédéric Deloffre.

VOLTAIRE. *Zadig ou la Destinée*. Édition présentée par Jacques Van den Heuvel. Texte établi par Frédéric Deloffre.

ZOLA. *L'Assommoir*. Préface de Jean-Louis Bory. Édition établie par Henri Mitterand.

ZOLA. *Au Bonheur des Dames*. Préface de Jeanne Gaillard Édition établie par Henri Mitterand.

ZOLA. *La Bête humaine*. Préface de Gilles Deleuze. Édition établie par Henri Mitterand.

ZOLA. *La Curée*. Préface de Jean Borie. Édition établie par Henri Mitterand.

ZOLA. *Germinal*. Préface d'André Wurmser. Édition établie par Henri Mitterand.

ZOLA. *Thérèse Raquin*. Édition présentée et établie par Robert Abirached.

Composition Interligne.
Impression Bussière Camedan Imprimeries
à Saint-Amand (Cher), le 20 décembre 2001.
Dépôt légal : décembre 2001.
1ᵉʳ dépôt légal dans la collection : août 2000.
Numéro d'imprimeur : 015803/1.
ISBN 2-07-039256-2./Imprimé en France.

10958